# Los latidos del mundo

De Peter Sloterdijk en esta colección

Derrida, un egipcio. El problema de la pirámide judía

Esta obra se benefició del P.A.P. GARCÍA LORCA, Programa de Publicaciones del Servicio de Cooperación y de Acción Cultural de la Embajada de Francia en España y del Ministerio de Asuntos Exteriores francés.

# Los latidos del mundo

*Diálogo*

# Alain Finkielkraut
# Peter Sloterdijk

**Amorrortu editores**
Buenos Aires - Madrid

Colección *Nómadas*
*Les battements du monde*, de Peter Sloterdijk y Alain Finkielkraut
World copyright © Librairie Arthème Fayard, 2003
Traducción: Heber Cardoso

ISBN 978-84-610-9017-4

Finkielkraut, Alain
    Los latidos del mundo. Diálogo /Alain Finkielkraut
y Peter Sloterdijk. - 1ª ed. - Buenos Aires : Amorrortu, 2008.
    232 p. ; 20x12 cm. - (Colección Nómadas)

    Traducción de: Heber Cardoso

    ISBN 978-84-610-9017-4

    1. Filosofía. I. Sloterdijk, Peter. II. Cardoso, Heber, trad.
III. Título.
    CDD 100

Impreso en los Talleres Gráficos Color Efe, Paso 192, Avellaneda,
provincia de Buenos Aires, en septiembre de 2008.

Tirada de esta edición: 2.000 ejemplares.

# Índice general

# I. Retornos

*PETER SLOTERDIJK:* Habría que comenzar por preguntarse qué significa «ser contemporáneo». ¿Cómo se puede vivir la contemporaneidad de manera paralela? Los encuentros que hemos mantenido han sido lo suficientemente escasos como para que nos garanticen una gran independencia del uno con respecto al otro. Y, sin embargo, desde la primera vez que nos vimos estuvimos seguros de que entre nosotros existía un vínculo, anudado por nuestra manera de reaccionar ante los datos de la época contemporánea. No se trataba tan sólo del hecho de que nuestras fechas de nacimiento no estuvieran tan alejadas entre sí. Era una manera común de enfocar el mundo y de responderle al escándalo de la existencia. Me parece que es posible, en verdad, encontrar aquí un motivo para elaborar ese paralelismo biográfico en términos de constelaciones.

Constelaciones: me encanta ese concepto. Por otra parte, nos remite a la obra de Adorno y a su interpretación de la relación entre el artista y su época. Para quien observa una constelación, es decir, atiende al ángulo y la posición de las estrellas en un cielo común, y para quien se entrega a esta consideración (lo cual quiere decir lo mismo, dado que con-siderar es contemplar la configuración de los cuerpos celestes) se manifiesta un texto descifrable, puesto que se dispone del código secreto. Desde luego, todo esto surge de una cierta hermenéutica inherente al historicismo marxista, que quiso creer en la posibilidad de leer en las situaciones así como otros leen en los textos. Si autores y lectores contemporáneos se dedican a un ejercicio como el nuestro, tienen que compartir ese optimismo con respecto a la legibilidad de nuestra coexistencia.

Ese prejuicio positivo en favor de la hipótesis que tenemos para decirnos las cosas y para poder exponernos juntos a la experiencia de una lectura simultánea del mundo contemporáneo debe ser recíproco para que se arme el juego.

*ALAIN FINKIELKRAUT:* Recuerdo el año de nuestro primer encuentro: 1991. Recuerdo dónde fue: la ciudad de Weimar, que por aquellos momentos recuperaba su lugar en el corazón de Europa, luego de medio siglo de exilio y de olvido en el gran invierno del Este. También recuerdo la ocasión: uno de esos innumerables y fervorosos coloquios donde Europa, a través de la voz de sus intelectuales, celebraba el reencuentro consigo misma.

No obstante, un acontecimiento estropeaba la fiesta: la muy cercana guerra en aquel territorio al que se llamaba la ex Yugoslavia para señalar, al mismo tiempo, que había perdido su nombre y que no era necesario darle otro, pues la disociación sólo podía desembocar en la barbarie. En efecto, los protagonistas del combate parecían *tomar la His-*

*toria en un sentido prohibido*, sobre todo los eslovenos y los croatas, que pretendían salir del comunismo y entrar en Europa por la vía del nacionalismo. Querían erigir fronteras en el preciso momento en que nosotros las abolíamos. Practicaban el separatismo cuando nosotros hacíamos de la caída del Muro de Berlín el símbolo y el paradigma de la lucha contra todas las formas de exclusión. Hacían surgir arrugas en el rostro de un continente que se entusiasmaba con rejuvenecerse al borrar los rastros de su pasado tenebroso y pendenciero. En suma, en el momento de la gran mezcla de identidades no encontraban nada mejor que segregarse.

Esos contemporáneos belicosos no eran, entonces, *nuestros* contemporáneos. Vivían en el mismo tiempo calendario que nosotros, pero no en el mismo tiempo histórico. El reloj de ellos y el de nosotros, pese a las apariencias, eran asincrónicos. Esto les valía ser tratados de atrasados por la muchedumbre posnacional, postotalitaria, posmoderna que se apretujaba en el gran coloquio mundial del que Weimar se convertía, en 1991, en una de sus ciudades-escala. Se leía en las circunstancias como otros leen en los textos, para retomar su fórmula tan sugerente, pero lo que descubría esta lectura universitaria y ardiente era, una vez más, la batalla librada por los contemporáneos para desalojar del presente a los representantes del mundo de ayer. Europa había roto con el comunismo, pero no con su supremo principio hermenéutico: la ciudad de Vukovar ardía en un canasto de basura de la Historia.

11

Esto fue lo que comencé a articular en el escenario de uno de los numerosos teatros de la ciudad de Goethe, frente a un compatriota geógrafo y geopolítico cuya agresividad, según recuerdo, lo sorprendió mucho a usted. Desde entonces he tratado de descifrar la actualidad sin caer en la facilidad impiadosa de la batalla entre los vivos y los sobrevivientes.

*P. S.:* Hay un elemento que me lleva a pensar en ese discurso sobre la contemporaneidad: para reencontrarse en una situación experimentada como situación común, hoy en día, es preciso recorrer cierto catálogo de decepciones. Eso prueba que no sólo hay aprendizajes positivos; también existe, a su lado, un verdadero curso de decepciones. En aquella época nos encontrábamos de regreso de nuestras ilusorias evasiones en la Historia, en el psicoanálisis, en el «terapeutismo» de la década del setenta. En mi caso, no sólo estaba de regreso del psicoanálisis y del marxismo; también me hallaba de regreso de la India y del orientalismo, que marcaron, en mi recorrido intelectual, un capítulo que de ninguna manera se puede omitir, pero. . . Se podía hablar de una gran riqueza en decepciones. Nos encontrábamos en una atmósfera de desencanto muy tonificante. Habíamos comprendido que cuando se comparten suficientes decepciones es posible ir más lejos.

Todo esto nos retrotrae al motivo de la constelación: incluso las estrellas que se han extinguido continúan formando imágenes. El final del siglo XX nos muestra un cielo cubierto de estrellas extinguidas, y el arte de considerar las figuras que ofrece ese cielo cubierto de estrellas extinguidas contribuye, por cierto, a lo que denomino la contemporaneidad. Se trata de una lectura muy particular o, más bien, de una visita a un museo de errores. Contemporaneidad significaría, en ese contexto, participar de un aprendizaje negativo. La negatividad de nuestro estado de conciencia y la necesidad de quemar las ilusiones nos marcaban mucho más que cualquier otra cosa. Lo que se exhorta a compartir, como ocurre tan a menudo, no son las ilusiones, ni siquiera los valores comunes: son nuestras decepciones.

*A. F.:* A fines del siglo XX, nuestro catálogo de decepciones era impresionante. Mesianismo político, «terapeutismo», exotismo salvador: estábamos de vuelta de todo eso. Como se dice familiarmente, salíamos después de haber entrado.

Sin embargo, antes de que tuviéramos tiempo de alzar la cabeza, ya nos proponían otro encantamiento, otro logro, otro triunfo: el de la democracia sin fronteras. Tal vez lo que nos acercó, a partir de Weimar, fue un mismo propósito de no acusar recibo de ese nuevo optimismo. Era también, más profundamente, la imposibilidad de transformar el *retorno de* en *retorno a*.

En un texto magnífico, Leo Strauss compara la vida signada por la idea del retorno con la signada por la idea de progreso. En el primer caso, el mal es pensado en términos de rebelión, traición o perjurio. El bien sería, pues, reanudar el hilo, volver a ser fiel, regresar a la situación de lealtad inicial.

«El hombre que se entiende de este modo añora la perfección del origen o del pasado clásico».[1]

Para el progresismo, a la inversa, el comienzo es miserable y bárbaro: «El hombre progresista no siente que ha perdido algo de importancia muy grande, por no decir infinita; *sólo ha perdido sus cadenas*».[2] Porque está convencido de la superioridad del presente *sobre* el pasado, el progresismo persigue sin tregua al pasado *en* el presente. «La vida que se entiende como una vida de lealtad o fidelidad le parece retrógrada (. . .). A la polaridad fidelidad-rebelión le opone la polaridad prejuicio-libertad».[3]

Esta tipología incuestionable olvida el caso de aquel que sabe que al confiarse en el devenir pierde algo más que sus cadenas y rechaza definir su inscripción en la época debido a la exigencia de ser absolutamente moderno, sin por ello disponer de un Dios o de un concepto de naturaleza a los cuales poder volver.

*P. S.*: Regreso de, regreso a. . . Estoy completamente seguro de que al comienzo tenía la intención de conservar la llama pura de la decepción. No quería que fuese perturbada por el neoilusionismo, por los efectos de la nostalgia de la metafísica, por esos nuevos valores que siempre termi-

---

[1] Leo Strauss, *La renaissance du rationalisme politique classique*, Gallimard, 1993, pág. 307 [*El renacimiento del racionalismo político clásico*, Buenos Aires: Amorrortu, 2007, pág. 320].

[2] *Ibid.*

[3] *Ibid.*

nan siendo los más antiguos. Diría, más bien, que el remedio, en mi caso, fue la práctica de la cultura, de la *Bildung* en un sentido alemán bastante estricto. Si hubo un elemento de «retorno a» en mi itinerario intelectual, fue un recurso a lo que se podría llamar una ampliación del campo de formación. Quería envejecer. Quería convertirme en alguien de mucha edad, reclamaba encarnar tres mil años de historia europea, según la recomendación de Goethe a las élites cultivadas de su época. Al pertenecer a esa famosa «generación sin padres», sólo me quedaba la huida hacia la vejez, que era al mismo tiempo una huida hacia la sabiduría. Tenía entonces una concepción bastante infantil de la historia del espíritu: la visión de un enorme tesoro que me incitaba a apropiarme de él. Quería robar todas esas riquezas, llegar a la acumulación salvaje de un saber no ortodoxo sobre la historia del espíritu. Era una manera de vivir la decepción generalizada.

Hoy comprendo que se trataba de un reflejo muy hegeliano, en la medida en que fue Hegel quien definió el trabajo del espíritu como autorrealización del escepticismo absoluto. Todo lo que es tesis, en la evolución del espíritu, debe ser relativizado por la antítesis, y luego *aufgehoben*, levantado, suprimido y reemplazado en un movimiento sintético. Por lo tanto, si vuelvo a algo, es a una nueva definición del saber contemplativo. Quedé convencido de que había un elemento de salvación en la contemplación pura, en el simple hecho de que pensar no es actuar. Y no actuar sigue siendo un gesto liberador, cuya virtud consiste en la interpretación de los mecanismos moralizadores que llevan al compromiso.

Eso siempre me interesó: ¿cómo cortar los lazos de los así llamados compromisos? Desde mi más temprana juventud he desconfiado de esta ideología del compromiso; no se trata de que enjuicie su forma abstracta y sartreana, que me resulta más bien simpática. Simplemente, al ver a la gente comprometida, me fui dando cuenta de que en la realidad las cosas nunca están a la altura de la teoría: no eran seres libres que habían elegido su lucha, no era gente que, a partir de su libertad, adoptaban una causa. Eran marionetas que buscaban justificaciones para sus acciones demasiado motivadas. No adoptaban compromisos antecedidos por un «descompromiso»; seguían siendo seres encastrados, incapaces de salir del círculo de una acción determinada. La hipótesis de la contemplación ejercía tanta atracción sobre mí en aquella época porque prometía una liberación. A aquella edad, estaba convencido de que la *praxis* y la estupidez eran equivalentes. Y si tuviera que describir con un concepto simple y definitivo la sustancia de mis experiencias orientales, sería probablemente ese, la palabra «descompromiso».

*A. F.:* Bajo el cielo cubierto de estrellas extinguidas que envuelve nuestro diálogo, tiene usted razón al darle un lugar central al compromiso, esa conversión exaltada de la tragedia del siglo XX en canción de gesta.

La tragedia del siglo XX es la «desnaturalización» de la existencia, es el estallido de los refugios que separaban cada destino particular de los asuntos del mundo; es, como escribió Philippe Ariès, la invasión monstruosa del hombre por la Historia.

La tragedia se apoderó de Europa en agosto de 1914. Democrática como la muerte, la Historia no olvidó a nadie: todo, o casi todo, el mundo fue *movilizado*. Ese arrasamiento universal le inspiró a Albert Camus páginas que están entre las más hermosas de *El primer hombre*. Su padre, que trabajaba en una granja del sur de Argelia, fue muerto por el estallido de un obús «lejos de su patria de origen», en una tierra que le resultaba misteriosa: la región del Marne. Su madre fue afectada así por una catástrofe que no comprendía —ella, que «ignoraba qué era un archiduque» y que «nunca había conseguido pronunciar las cuatro sílabas de Sarajevo»—. Y Camus, primer hombre a su pesar, el hombre de la casa, tuvo que aprender a vivir «sin lecciones ni herencia», como centenares de huérfanos que «nacían en todos los rincones de Argelia, árabes y franceses».[4] 1914: incluso los más pobres entre los pobres, incluso aquellos a quienes la desgracia condenaba a la sempiterna repetición de gestos elementales, es decir, a la ausencia de historia, quedan atrapados y son capturados por la desdicha de la Historia.

Pero la gran figura del siglo XX no es Camus, sino Sartre. Y para Sartre, como para toda la *intelligentsia* hegeliano-marxista que le hizo tan dura la vida al autor de *L'homme révolté*,* la Historia

[4] Albert Camus, *Le premier homme*, Gallimard, 1994 [*El primer hombre*, Barcelona: Tusquets, 1994].

* *El hombre rebelde*, Madrid: Alianza, 1996.

no es la fractura de la tragedia: es la epopeya de la filosofía, la conquistadora racionalización de la realidad, el advenimiento progresivo y convulsivo de la Humanidad en sí misma. Para Sartre, la acción es superior a la contemplación, la *praxis* prevalece sobre la teoría, pues en la *praxis*, en la acción histórica, es donde se inscriben los conceptos y donde se juega el destino de lo universal. La verdadera filosofía se situaba, pues, en un lugar diferente del de los libros de los filósofos, y la misión del intelectual comprometido ya nada tenía que ver con la que se asignaban sus ilustres predecesores. Zola, Hugo, Voltaire mostraban el camino; Sartre corría tras los que hacían la Historia. Los primeros trabajaban mediante la palabra en la educación del género humano; el segundo le debía al género humano explicaciones acerca de su forma de vida, de su buen pasar, de su ocio dedicado al estudio, del tiempo pasado en rumiar sus frases; en suma, sobre todo lo que no hacía por la clase que, precisamente porque encarnaba la servidumbre universal, estaba a cargo del establecimiento del reino de la libertad. El intelectual comprometido no respondía sólo a una *urgencia*, sino a una *acusación*. Estaba conminado, ante todo por él mismo, a tomar partido a cada momento y a sacrificar todo lo suyo a las promesas filosóficas de la Historia. Cuando obedece, cuando termina por arrojarse a la contienda, sus palabras se siguen declarando culpables por no ser más que palabras. Palabras, y no armas. Sartre es la conciencia del siglo de la mala conciencia y del proceso intentado contra la escritura por los escritores. Si me rebelo, como usted, contra esa perpetua comparecencia del pensamiento es porque desconfío en primer lugar, al contrario de usted, de la ideología del compromiso en su versión sartreana.

Sin embargo, mentiría si hoy me declarara «descomprometido». Yo también quiero envejecer, convertirme en alguien de mucha edad; reclamo tres mil años de historia europea, pero quizás esa aspiración no baste, lamentablemente, para sacar a mi espíritu de su torpeza natural. Por más que esté convencido de que en la contemplación hay un elemento de salvación, en mí la contemplación es siempre impura, siempre derivada, no es su propia causa. Cuando me sucede ser inteligente, nunca lo es con continuidad, nunca voluntariamente, sino ante el impacto de un golpe. ¿Por qué estaba tan agitado en Weimar, cuando me parecía que usted estaba maravillosamente tranquilo? Algo había ocurrido en el mundo que me hacía sentir horror a la invasión de la Historia por la filosofía y me obligaba a pensar sin resguardo. Era un pensamiento al que no le cuadraba la palabra «compromiso», y tampoco «descompromiso»; tanto necesitaba, para ponerse en movimiento, de un disparador emocional.

*P. S.:* En ocasión de nuestra conversación en Weimar, usted pronunció una frase que conservé en la memoria porque me pareció muy típica de un pensador francés perteneciente a la generación siguiente a la de Sartre y Lévinas: usted decía que estaba contento de haber concebido una frase dionisíaca en su pensamiento.

*A. F.:* ¿Dije eso? ¿Está seguro?

*P. S.:* Sí, lo dijo, se lo aseguro, a punto tal que hay testigos vivos, y usted corre el riesgo de que alguno de ellos le pida un día que explique con mayor precisión qué quiso decir. En aquella época tuve la impresión —tal vez injustificada— de que comprendía perfectamente el sentido de sus palabras. Por esa razón no le hice preguntas. Tenía la impresión de entender, ante todo, que usted hablaba de una evolución intelectual y moral, y que tenía que ver con una cita de Kierkegaard acerca de la progresión de la conciencia. En Kierkegaard se distingue un estadio erótico, un estadio ético y un estadio religioso. Presumía que usted aludía al pasaje del primer estadio al segundo. A mi juicio, era una expresión razonable, porque yo suponía que usted quería decir que el período dionisíaco representa una etapa indispensable en la educación sentimental de un moralista. Ya va a ver por qué eso me agradó. Me decía que finalmente, desde ese punto de vista, teníamos un destino paralelo. Por mi parte, también había experimentado un movimiento que llevaba desde una actitud que quería a toda costa abrazar el mundo de las sensaciones, según una postura neutra, cruel y juvenil, hacia una actitud más bien marcada por el peligro de convertirme en adulto. Luego me preguntaba qué significaba ser adulto. Al mismo tiempo, estaba obsesionado por la sospecha de que la adultez podía revelarse como otra utopía perdida.

Permítame agregar que me refería al libro que usted había escrito a una edad bastante precoz, con Pascal Bruckner, *Au coin de la rue, l'aventure*, y luego a otro, *Le nouveau désordre amoureux*, dos publicaciones que tuvieron cierto éxito en Alemania, dentro de las subculturas hedonistas de izquierda. Lo que me parecía plausible era la afirmación de que esos libros no podían ser su última palabra.

A. F.: Ahora entiendo mejor. A partir de *Le juif imaginaire*, publicado en 1980, cambié de tono, me convertí en un escritor serio. Al tratar de hallar una expresión convincente para calificar la etapa anterior, sin duda quise enfatizar que no la desaprobaba en absoluto, que no la consideraba fútil, que seguía siendo solidario con ella aunque mi humor se hubiera vuelto más melancólico o más grave.

Pero el hecho es que *Le nouveau désordre* no implica en modo alguno una diatriba dionisíaca contra el ideal ascético. En nuestra mira no teníamos la *represión* sino la *liberación* sexual. La castidad, la continencia, la aversión puritana frente a los placeres de la carne nos parecían, a fin de cuentas, menos nefastas, por menos actuales, que su captación por el discurso de la revolución y de los derechos del hombre. Si rechazábamos algo, esto no implicaba ceder en nuestro deseo, como se prefería decir en aquella época. Era considerar al orgasmo como una actividad subversiva, y a la emoción amorosa, como el reflejo de un propietario o como un producto derivado de la sacrosanta libido. El amor físico nos deslumbraba, pero embestir contra los viejos tabúes haciendo del acto sexual el alfa y el omega de las relaciones afectivas no era,

21

en nuestro espíritu, un progreso: era un atentado contra la riqueza de la existencia.

Dicho esto, el aire de la época, que rechazábamos, también lo respirábamos. No salíamos indemnes frente a la época contra la que luchábamos; a su vez, nos dejábamos invadir por el *pathos* militante de la novedad. Bastante intrépidos, bastante anticonformistas como para ridiculizar la erección del Sexo como órgano revolucionario, pagábamos nuestro tributo al radicalismo ambiental anunciando el fin del «orden genital» y la llegada del Reino. Nuestro libro terminaba con una promesa cuyo tono casi escatológico ahora me avergüenza: «En verdad, todavía no hemos visto nada». La edad me curó de la ontología lírica del *aún-no-ser*. La edad, es decir, no el endurecimiento del alma, sino su ampliación merced a los libros. Es la lectura la que me ha hecho envejecer, y el aprendiz de filósofo que sigo siendo les debe a los grandes novelistas la concepción de fenómeno humano no tanto como un problema que queda por resolver, sino como un enigma al que nunca dejamos de interrogar.

*P. S.:* Lo que me hizo estar seguro de haberlo entendido en aquella época fue el hecho de que en mí había una evolución no paralela sino, digamos, comparable. Hoy se evidencia que las premisas de esta convicción eran muy frágiles. Recorrí algunas etapas desde mis comienzos con la *Critique de la raison cynique* (1983), que era claramente un manifiesto en favor de una izquierda nietzscheana y, sobre todo, de una izquierda liviana. La alianza entre la herencia nietzscheana y la del socialismo no era tan nueva, mientras que lo liviano sigue siendo una dimensión subversiva que la izquierda debe descubrir. En lo referido a su obra de juventud, tampoco era la primera vez que se podía observar el florecimiento de un nietzscheanismo judío, fenómeno demasiado poco estudiado en la historia de las ideas.

Me da la impresión de que los acontecimientos del siglo XX se disponen en torno al eje de gravedad o de liviandad. O que la mayor parte de las cosas que nos resultan poco soportables y muy poco simpáticas se han concentrado alrededor del polo pesado de esta alternativa. Al defender el principio de liviandad, he observado que la sensación de gravedad aumentaba a pesar de mí. La necesidad de llevar un peso se me fue haciendo cada vez más clara.

A partir de entonces, mi reflexión personal acerca del sentimiento fundamental de la vida gira constantemente en torno a esta fórmula: encontrar el buen centro de gravedad sin ceder al heroísmo y sin complacerse nunca en la frivolidad.

*A. F.:* Su *Essai d'intoxication volontaire* me abrió los ojos y me obligó a situarme en esa «guerra mundial invisible e incomprendida cuya apuesta es el peso del mundo: la guerra de lo liviano contra lo pesado». Usted le puso palabras a mi malestar. Al leerlo, entendí que, frente a la voluntad de volver la vida cada vez más liviana, flexible y turbulenta, yo pertenecía al campo de la pesantez, estaba atado de pies y manos. Al proseguir su reflexión, incluso me sucede que pienso que hemos cambiado subrepticiamente de elemento: la *navegación* en Internet, la *licuefacción* de las cosas mediante las imágenes, la *flotación* de todos los valores, la *dissolution cool* de las rigideces seculares, todo eso me da la impresión de ser un Terrícola extraviado en el mundo de la *beatitud acuática*.

Sin duda, cuando con Pascal Bruckner escribíamos *Le nouveau désordre amoureux*, yo era más liviano, me sentía más inclinado a buscar la felicidad en la pesantez y la libertad en la fluidez. Sin embargo, ese libro contenía un himno al apego, cuya posibilidad, e incluso el vocabulario, había abrevado en la obra de Lévinas, que acababa de descubrir. Recuerdo muy bien ese encuentro que me cambió la vida. Fue en julio de 1974. Dos años antes había obtenido la cátedra en Letras Modernas. Ya por entonces leía la filosofía con una temerosa deferencia (que nunca me abandonó), pero sin sentirme nunca emocionado hasta las lágrimas por ningún filósofo. Cierta vez, me encontraba en una librería del bulevar Saint-Michel, en París, buscando sin saber bien qué, apostando a que apareciera algo que decidiera mis lecturas de vacaciones. De pronto, mi mirada se detuvo en un hermoso y sólido volumen azul oscuro, *Totalité et infini*,\* de Emmanuel Lévinas. Nunca había estudiado a ese autor, por entonces confidencial, pero conocía la existencia de las *Lectures talmudiques*. Retiré, pues, del estante *Totalité et infini*, lo hojeé

---

\* *Totalidad e infinito: ensayo sobre la exterioridad*, Salamanca: Sígueme, 1995.

y vi que era una cuestión de piel. Fascinado por esa epifanía carnal con un discurso especulativo, compré el libro y lo leí en tres días, con *el corazón anhelante*. A partir de entonces, Lévinas fue para mí el pensador erótico de la ética, el que describe el surgimiento de la ley como un acontecimiento. No es pues un predicador humanitario, sino el incansable relator, el novelista obsesivo del nacimiento de lo humano. No formula máximas, no realiza prescripciones, no da ningún consejo: cuenta. Ese narrador me revela y, todo al mismo tiempo, me recuerda a mí, su lector, que la desnudez y la dignidad me disponen para el Bien antes de cualquier otra opción, antes de cualquier decisión de mi parte. A modo de ética, Lévinas revela una intriga original, una aventura involuntaria, una historia de seducción, un desvío del recto camino; el ego se dedicaba a sus asuntos, administraba conscientemente su tiempo, seguía el camino que le trazaban su interés, su ambición o sus apetencias y, ¡cataplum!, helo ahí «pese a sí mismo, dedicado a otro». En esa sujeción mejor que la soberanía, en ese sobrecogimiento por lo inasible más precioso que la unidad o la fusión de las almas, creía reconocer la verdad de la experiencia amorosa. ¿Estaba loco? No, sin duda, si doy crédito a esta confesión formulada, al final de su vida, por el propio Lévinas: «El amor-sentimiento hacia los libros: ciertamente, es allí donde se encuentran mis primeras tentaciones filosóficas».[5]

---

[5] En François Poirié, *Emmanuel Lévinas*, La manufacture, col. «Qui êtes-vous?», 1987, pág. 69.

Nada hay de nietzscheano, en todo caso, en mi amor por el amor. Ninguna apología del impulso vital. Ninguna rehabilitación del instinto, de la espontaneidad, de «la fuerza que va» y que se despliega inocentemente en el ser. He envejecido, he cambiado, pero aun antes de ser requerido por temas graves exploraba el mapa de la ternura, de los afectos y de las pasiones con los libros de Lévinas en la mano.

## II. «Nosotros, los judíos»

*P. S.:* Existe una ideología de la equidistancia
tendiente a que, en las gradas de la arena, el espectador esté tan alejado de los leones como de los
cristianos. Pero algunos conflictos representan
para nosotros la tentación de bajar directamente a
la arena y aniquilar lo que denominamos «puestos
de observación». A veces me pregunto si los intelectuales judíos no están expresamente obsesiona-
dos por esta tentación. . .

¿Por qué ellos en particular? Porque para ellos
la guerra está ahí. Para ellos, se ha impuesto el estado de excepción. Ha sonado la alarma o, para retomar una metáfora a la que recurro regularmen-
te: han recibido la notificación de movilización.
Les guste o no, las cosas son así. Y tengo la impresión de que, desde la primera Guerra del Golfo, las
relaciones entre los intelectuales judíos y los intelectuales no judíos están deteriorándose. Me gustaría saber por qué y cómo recuperar un campo común, menos contaminado por el espíritu de la estrategia y de la sospecha. Me pregunto si es tan sólo una impresión personal, pero me parece que los
intelectuales judíos escriben cada vez más a menudo cartas abiertas al público y a sus amigos o ex
amigos, a los efectos de significarles que algo ha

sucedido en sus vidas que los obliga a volver a pensar todas sus relaciones anteriores.

*A. F.:* Sí, los intelectuales escriben febrilmente cartas inútiles, y los otros, aquellos que no tienen el limitado poder de clamar en el desierto, se aíslan en el silencio o hablan de otra cosa cuando están con los goys. Pues la palabra «goy» ha reaparecido incluso entre los judíos menos comunitarios. Y aunque esa palabra resultaba chocante para sus más entrañables convicciones, son los primeros en sorprenderse de volver a poner en servicio una dicotomía que creían digna de desguace. He oído recientemente a un cineasta muy de moda, muy de izquierda, muy ferviente lector de *Le Monde*, decir que es posible responderles a amigos que le preguntaban su sentir sobre la situación de Oriente Medio: «No hablo de Israel con goys».

Sus interlocutores no dejaron de sentirse ofendidos por esta brutal descalificación. ¿Ellos, *goïm*, cuando, desde la profanación del cementerio de Carpentras hasta el proceso del ex funcionario de Vichy, Maurice Papon, en ninguna ocasión dejaron de manifestar solicitud? ¿Ellos, enemigos, cuando, lejos de tratar a los judíos como una raza peligrosa, luchan contra toda forma de racismo en las colectividades humanas? Libres de los prejuicios que la palabra «goy» les imputa, sólo practican una religión: la de la humanidad, y lo que los perturba es ver a Israel profanar esa fe universal en lo universal al construir una sociedad de *apartheid*.

Cuando se es atacado como judío —decía en lo sustancial Hannah Arendt—, es preciso responder como judío. Pero cuando se es atacado como racista, cuando la antipatía en contra de nosotros se alimenta de la simpatía con respecto a nuestro destino, no hay nada que responder: ninguna palabra es adecuada. Nos quedamos sin voz y levantamos un muro.

*P. S.*: Para empezar —y coincido en un todo con usted sobre este punto—, se descubre una nueva calidad de judeofobia, que ya no tiene nada que ver con el episodio racista del rechazo al judío que nuestra tradición llevó hasta alturas increíbles. También me parece que el antisemitismo estilo siglo XIX, el antisemitismo clásico, si se me permite la expresión, es un capítulo más o menos cerrado. Hoy en día, a partir de nuestro puesto de observación, nos encontramos frente a una nueva dimensión de hostilidad, que un observador podría describir de la siguiente manera: es la primera vez que la antipatía hacia los judíos simplemente no se puede explicar mediante los procesos interiores de quien proyecta todas las miserias de su existencia sobre un fantasma. En nuestros días, y por primera vez, el antisemitismo, si todavía resulta admisible este término, no es un antisemitismo sin judíos.

La razón de ello es absolutamente clara: el Estado de Israel ha creado hechos nuevos y penosos en la historia del pueblo judío. Esto fuerza a todos los demás a preguntarse si es o no posible la normalización de ese país que súbitamente se ha vuelto muy fuerte. A mi juicio, hoy ya no se trata de pueblo elegido o no elegido, sino de pueblo normal o no normal. No es pura casualidad que la jerga del poder actual hable de Estados normales, por un lado, y de *rogue states*, por el otro; lo cual es, por otra parte, una expresión que en biología se emplea para describir el comportamiento de animales gregarios que se separan del grupo. Por ejemplo, al hablar de *rogue elephant*, se designa al anciano cansado de la vida comunitaria. Es el *Hagestolz*, el soltero endurecido que ya no tiene ganas de compartir la comunidad de todas esas vacas locas, el viejo malo que detesta la pequeña conversación matutina y las rumiaciones comunes. La expresión *rogue elephant*, o *rogue bull*, califica al individuo que se separa de la horda o abandona la manada para buscar su felicidad en el vagabundeo, en ir por donde se le antoje. Es preciso reconocer que hoy en día el papel de Estados solitarios y aislados les corresponde sobre todo a los israelíes, convencidos de que nadie será capaz de entenderlos, y a su gran aliado, Estados Unidos, condenado a encarnar la excepción absoluta.

Repitamos la argumentación: hoy el problema no es tanto el del pueblo elegido, sobre todo en lo que concierne a los israelíes, pues si en la actualidad existe un pueblo elegido, este es el norteamericano de Estados Unidos. ¿Qué quiere decir ser norteamericano? Es haber descubierto el secreto de arrancarles el privilegio metafísico a los judíos. Este es el drama metafísico de la modernidad: la superación de los judíos por los protestantes. El protestantismo político es la voluntad de acaparar el privilegio religioso de los judíos para concentrarlo en el seno de una comunidad protestante.

Pero el problema actual no se plantea en ese nivel. Según mi análisis, el deterioro de las relaciones entre los intelectuales judíos y los demás estriba en el hecho de que, por primera vez en la historia de ese nerviosismo judeofóbico, es el israelí real o el judío real quien ha ingresado en el juego.

El judío real es aquel que ha hecho un descubrimiento inaudito: la fuerza. Lo que resulta radicalmente nuevo hoy es la llegada del judío fuerte a la escena mundial. La tragedia de nuestra época surge de esta aparición provocadora, incluso obscena, del judío no impotente. La fuerza judía es algo que no se soporta. El vínculo entre la debilidad y el judaísmo ocupa un lugar tan eminente en la dramaturgia intelectual de los europeos, en los niveles consciente e inconsciente, que nos resulta imposible prescindir de ese fantasma del judío que encarna una debilidad bendita. Hoy, el pueblo judío, al territorializarse, renuncia a su elección, a su bendición. Ese pueblo triunfa de manera brillante en el campo militar y en la tarea de matar a sus adversarios. ¡Helo ahí convertido en maestro del arte de no ser ya incapaz de defender su pellejo! Según Martin van Greveld, docente en la Hebrew University de Jerusalén, el ejército israelí representa la segunda fuerza de combate a escala mundial, luego del de Estados Unidos. Esa comprobación afecta una de las fantasmagorías más poderosas de nuestra tradición: el privilegio de obrar y hablar desde un lugar privilegiado en el que la debilidad se ha convertido en fuerza.

Me hubiera gustado conservar algo de lo angelical del gran teórico para reflexionar acerca de los conflictos de nuestro tiempo, pero me invaden cada vez más pensamientos sórdidos. El compromiso parece haber sido la gran consigna de la filosofía del siglo XX. En realidad, el compromiso implica la participación en la deshonra. Hay en ello algo muy difícilmente viable para un intelectual: poco a poco se va comprendiendo que ya no nos encontramos sobre esa elevada colina de los generales, la que permite una visión de conjunto sobre la totalidad del terreno.

Uno se siente humillado porque cualquier editorialista puede hacer lo mismo que uno. ¿Sigue habiendo alguna diferencia entre el editorialista y el filósofo que anticipa la paz después de la batalla y encarna en su estilo la capacidad de respirar en una paz tonificante?

*A. F.:* La Europa de antes estaba orgullosa de sus castillos, de sus paisajes, de sus ciudades, de sus sinfonías, de sus invenciones, de su actividad y del progreso que conseguía en todos los campos. Traumatizada por el siglo XX, la Europa de hoy pregona con mayor naturalidad sus faltas que sus grandes logros: se aplaude por ya no aplaudir, está orgullosa de su vergüenza, tan orgullosa que la pone como ejemplo a Israel. Hemos ingresado en esa era singular en la que los objetos del arrepentimiento europeo se convierten en los destinatarios de sus sermones.

El «judío fuerte», como dice usted tan bien, ha irrumpido en el escenario mundial. Se le pide, entonces, el mismo esfuerzo que a todos los fuertes: hacer como los alemanes y desnazificarse confesando su falta. Esa falta no es sólo la ocupación de Cisjordania y la Franja de Gaza; es la instauración del Estado de Israel mediante el fuego, el hierro y el éxodo de centenares de miles de palestinos. Dicho de otro modo, no sólo el arrepentimiento se vuelve contra Israel, sino que Israel debe responder por un crimen aún más radical que todos los crímenes expiados con énfasis por la Europa del deber de la memoria: el crimen de haber nacido.

Al alemán culpable del nazismo y no de Alemania, al italiano culpable de Mussolini y no de Italia, al francés culpable de Vichy y no de Francia, les va mejor que al «judío fuerte», culpable simplemente de Israel.

*P. S.:* Eso demuestra que la fundación de un Estado nunca es algo inocente. La ventaja de la que gozamos quienes pertenecemos a Estados asentados desde hace mucho tiempo reside, precisamente, en que nuestros crímenes fundacionales se remontan a una época de la que sólo los historiadores conservan la memoria. Cuando un crimen fundacional se comete ante la mirada de un mundo crítico, se produce la rebelión. ¿Hay razones para rebelarse? La violencia fundadora la soportamos en el mito, no en los periódicos.

Esta reflexión afecta la lógica de las fundaciones en general, incluida la del Estado de Israel. Quien quiere fundar, también quiere el crimen necesario. Desde hace medio siglo se oyen discursos judíos que manifiestan explícitamente el derecho a la expulsión del otro. Incluso Hannah Arendt decía estar convencida de que los israelíes poseían un derecho sobre la tierra de Israel porque habían dado prueba de su capacidad para cultivar el país. Estaba lejos, por cierto, de una mistificación arqueológica, pero entregaba la justificación mediante el éxito y el trabajo. Me parece que su teoría estaba inspirada por el espíritu de la meritocracia norteamericana y de la colonización del Far West. Sin embargo, corre el riesgo de ser refutada por la evolución del Cercano Oriente. Si la situación actual se perpetúa, Israel ya no estará en condiciones de acumular éxitos convincentes. Además, los palestinos no son pieles rojas a los que se puede exterminar sin consecuencias.

*A. F.:* Aunque los tiempos sean difíciles y muy diferentes de los de la época heroica en que los verdes kibutz surgían del desierto, Israel todavía puede invocar hermosos éxitos. Sólo que la justificación por el trabajo ha dejado de producir un efecto. Aun permaneciendo industriosa, Europa dejó de ser *robinsoniana* y de querer repartir, mediante la asimilación universal, los beneficios de su civilización. Daniel Defoe ya no es su profeta. Después de sumergirse en el corazón de las tinieblas, no es a Crusoe ni a la puesta en razón del mundo por un Sujeto todopoderoso lo que honra; es a Viernes y a todo lo que la razón aplasta. Las hazañas israelíes agravan, pues, el caso de Israel al aportar una prueba suplementaria de que el Otro, judío hasta ayer, hoy es palestino.

¡Ah, el Otro! Es el niño mimado filosófico de la Europa penitente. Es el único valor que resiste al nihilismo desencadenado. Es la figura evanescente y majestuosa a la que todos los profesores, todos los estudiantes, todos los cantantes, todos los actores, todos los poetas, todos los políticos, todos los animadores de *talk-shows* le rinden un homenaje permanente. ¿Y quién se quejará al día siguiente de los horrores engendrados por la arrogancia colonial, el nacionalismo obsidional o la homogeneización totalitaria? Sin embargo, me pregunto si basta con poner a Viernes en el trono de Robinson para salir del siglo XX inteligente, es decir, *quebrantado*. Lo que devastó a ese siglo fue la reducción del mundo humano al enfrentamiento entre dos voluntades. Quienes desertan ahora del campo de lo Mismo por el del Otro reorientan, de alguna manera, la reducción y perpetúan el esquema mortífero de la alternativa única.

A todos los «viernistas» del nuevo milenio tengo ganas de recordarles, con Hannah Arendt, que no es el hombre quien habita la Tierra, sino los hombres en su infinita pluralidad, y con Lévinas, el filósofo por excelencia de la alteridad, que siempre se corre peligro al poner los nombres propios bajo el amparo de un nombre común, aunque sea el nombre del Otro. «Lo único que nos preserva de la ideología —escribe Lévinas—, es la vigilancia de lo general a partir de lo particular».[1] Ejercer esta saludable vigilancia comienza por la *desconceptualización* de los actores históricos y la restitución del documento de identidad a cada uno. El dualismo edificante del rechazo del Otro no deja

---

[1] Emmanuel Lévinas, *Au-delà du verset*, Minuit, 1982, página 98.

subsistir nada del drama que se desarrolló en ocasión del nacimiento de Israel entre los ingleses, los sionistas, los árabes palestinos y el resto del mundo árabe.

*P. S.:* Es así. Pero, por otro lado, es preciso recolocar ese drama de la fundación del Estado de Israel en un marco más vasto. Se inscribe en un movimiento característico del siglo XX: la gran corriente de la descolonización. No olvidemos que el Estado de Israel comenzó bajo la forma de lo que los ingleses llamaban por esa época un *homeland*, concepto aparentemente más anodino que el de Estado. Implicaba que se podía hacer coexistir a varias tribus dentro de un complejo de nacionalidades mixtas, todo ello garantizado por un gobierno de poder imperial.

Retrospectivamente, uno se da cuenta de que el imperialismo inglés, cuando entró en su período de debilidad, les hizo el juego a los dirigentes israelíes que querían forzar al Imperio a retirarse prematuramente. Si se hubiera permitido que los ingleses se retiraran con más dignidad, el reparto de los territorios habría sido la condición absoluta para una partida organizada. Como bien sabe usted, los atentados preparados por los grupos terroristas israelíes operaron para hacer cambiar a la opinión pública de Inglaterra. Sus autores querían librarse lo más rápido posible de la presencia de los ingleses. El precipitado retiro de estos parece sólo representar un detalle técnico, pero, como suele decirse, el diablo está en los detalles: ese fue el pecado original del Estado de Israel. Sobre todo, se produjo ese terrible atentado organizado por Begin contra el hotel de King David, en 1946, que dejó un centenar de muertos, los primeros del terrorismo político del Cercano Oriente. Para hacer rebosar el vaso, una muchedumbre israelí colgó en público a varios soldados sin grado, tras lo cual la presión de la opinión en Inglaterra fue tal que el poder colonial debió darse prisa.

Al parecer, no había una buena política exterior en el momento de la descolonización. Pero si esas famosas expulsiones y separaciones las hubieran llevado a cabo aquellos a quienes en verdad les correspondía la tarea, las responsabilidades habrían quedado más claramente establecidas. El enfrentamiento de los países árabes con la presencia israelí probablemente hubiera perdido su carácter exacerbado.

*A. F.:* Las oscilaciones británicas seguramente complicaron el enfrentamiento árabe-sionista, pero no estoy seguro de que lo hayan exacerbado. Cuando la Organización de las Naciones Unidas heredó el problema, presentó un plan de reparto inmediato que fue rechazado por la Liga Árabe, en tanto provocaba una explosión de alegría en las calles de Tel-Aviv. Después de las soluciones presentadas por los ingleses en 1937 (con la Comisión Peel) y en 1939 (con el Libro Blanco), era la tercera vez que los palestinos y sus partidarios le decían no al compromiso. Se sabe, además, que la anexión llevada a cabo por Jordania, en 1948, del territorio que le había dado la comunidad internacional no provocó la menor reacción. De ahí esta sospecha punzante: ¿Existe otra cosa en la identidad palestina que el rechazo a Israel? ¿Los palestinos encarnan una aspiración nacional, o el sufrimiento provocado por lo que Jean Genet, su cautivo enamorado y su poeta tutelar, llama graciosamente «el azul, la equimosis judía eternizándose sobre el hombro musulmán»?

Esa sospecha me saltó brutalmente a la cara el 28 de enero de 2001, cuando oí por casualidad en la CNN el diálogo entre Shimon Peres, entonces ministro de Asuntos Exteriores del gobierno israelí, y Yasser Arafat en el Foro Económico de Davos. Peres hablaba de la necesidad de un convenio de colaboración para la paz y la cooperación entre los palestinos y los israelíes. Arafat le respondió tildando al Estado judío de Estado fascista, que hambreaba al pueblo palestino y utilizaba en su contra municiones con uranio. Daba la sensación de que los acuerdos de Oslo nunca hubieran existido, y nada en su discurso podía llevar a pensar que el gobierno de Israel acababa de aceptar las propuestas del presidente Clinton en su llamado a realizar una transferencia del 94 al 96% de Cisjordania a los palestinos (con una compensación territorial israelí para el 6 y el 4% restante) y que preveía la división de Jerusalén.

Entonces comprendí, ante mi propia reacción, la verdadera naturaleza del extremismo judío: no la embriaguez conquistadora, sino el rechazo sobrio a dejarse embaucar; no el desprecio de Viernes, sino el miedo a Amalek, esa figura que en la Biblia simboliza la voluntad inmemorial de terminar con los judíos. Este miedo es legítimo y sin embargo debe ser conjurado, pues pone en peligro la *normalización* sionista, es decir, la opción de vivir no *como* las naciones, sino *con* ellas, en igualdad, en un mundo privado o liberado (según), por su interacción, con certeza absoluta, de todo ordenamiento definitivo.

Al rebajar lo inmanejable a lo inmemorial, el miedo determina una *política impolítica* donde la prudencia y la ocurrencia ya no tienen lugar alguno, puesto que todas las situaciones parecen repetir un mismo dato básico. Para los judíos que quieren mantener los ojos abiertos, el sendero entre la necesidad de no dejarse acunar por las ilusiones y la ilusión de la última palabra dictada por el pesimismo es estrecho.

*P. S.:* Todo eso parece reclamar un comentario desde el punto de vista sistémico. El Estado de Israel se encuentra en la situación de un sistema que se ha equivocado de medio ambiente. Pero, ¿qué es un medio ambiente sino la forma más general de la alteridad? La noción de medio ambiente no es un concepto clásico. Se inscribe en la metabiología del siglo XX, que se apoya en el descubrimiento de una alteridad neutra que no dice si se refiere a las personas o a las cosas. La única cualidad a la que es posible referirse es el hecho de que hay algo en torno a una entidad viva que vehiculiza su juego de autodeterminación y de autodefensa, así como su proyecto vital en un medio vital donde le es preciso consolidarse. Ahora bien: sabemos que la filosofía de la alteridad clásica fue concebida por entero en un contexto humanista, sobre un sustrato de teología según el cual el Otro siempre debía ser uno de los seudónimos de lo divino. En ese contexto, la manera privilegiada de encontrar lo sobrehumano o el absoluto era el rostro del ser humano extranjero, el que nos dirige la pregunta esencial: ¿Por qué tienes la intención de anularme? Es la primera pregunta que el Otro me plantea y su rostro sería, por así decirlo, la encarnación del quinto mandamiento, «No matarás», replanteado bajo la forma de una pregunta: ¿Qué te hace pensar que puedes suprimir mi existencia? Ese es el sentido en el cual hemos aprendido a formular la pregunta de la alteridad del modo más profundo. El Otro, que interviene en mi existencia planteándome preguntas indecentes, de alguna manera me toma como rehén. Todavía no hemos aprendido a crear un puente entre el discurso religioso de la alteridad que, bajo una forma aplanada, reina en la mentalidad de los intelectuales de Occidente y el análisis metabiológico de la relación entre sistema y ambiente.

Si lo entiendo bien, usted aboga para que se tome distancia de las consecuencias aberrantes de una teología política de la alteridad, que lo lleva a un desarme suicida frente a formas de la alteridad que no son las del Otro como judío tradicional, es decir, la alteridad débil y bendita del hombre frente a su Dios. Hoy tenemos que vérnoslas con la relación entre un judaísmo fuerte y una alteridad nueva, fuerte a su vez, pero de una manera diferente: fuerte en su odio y en su desesperación. Por primera vez existe una verdadera relación de fuerzas entre el judaísmo y su medio ambiente, y es preciso reformular toda la problemática en términos de relaciones de fuerzas.

*A. F.:* Nunca hubiera pensado que llegaría una época en la que diría espontáneamente, sin la menor vacilación o reticencia, «Nosotros, los judíos».

En 1991 —el año de nuestro primer encuentro, en Weimar—, aquellos que hablaban en nombre de los judíos pretendían que todos los croatas eran *oustachis*, y consideraban que había que ser loco, perverso o malintencionado para sostener sus aspiraciones nacionales. A fines del siglo XX, me parecía insalvable la división entre los partidarios y los adversarios del proceso de Oslo. Hoy digo: «Nosotros, los judíos» porque de ahora en adelante todos —fieles o laicos, progresistas o conservadores, judíos de tiempo completo o intermitentes identitarios— estamos *en el mismo barco*. Lo que hace de nosotros algo diferente y más que un agregado de individualidades es la acusación de la que somos objeto apenas nos negamos a *soltar* a Israel. Es una acusación monstruosa que casi hace añorar los buenos viejos tiempos del prejuicio antisemita. En efecto, nuestro crimen ya no es la doble alianza, sino la falta de alteridad. Ya no somos malos franceses, malos alemanes, malos europeos, sino malos judíos, judíos fracasados, judíos traidores a sí mismos, no merecedores de su historia. Nuestros nuevos fiscales nos condenan por falta de sensibilidad judía.

*P. S.:* ...y es también un crimen por obstinación. Porque no es suficiente renunciar a la elec-

ción; también sería necesario renunciar a la idea
de pueblo. No hay que descartar que el concepto de
pueblo esté estrechamente ligado al fenómeno judío en cuanto tal. La obstinación judía, por sí sola,
reemplaza ampliamente la lista de razones tradicionales del odio a los judíos. Antiguamente, cuando los autores romanos denunciaban a los judíos
en términos de *hostis generis humanum* —expresión que, por otra parte, también era dirigida a los
primeros cristianos—, lo hacían bajo la acusación
de no compartir las fiestas de los otros, de no co-
mulgar en el sentido religioso del término, de no
participar en las comidas ecuménicas del Imperio.
Diría que esa reprobación era el rasgo de una situación pre-antisemita, mientras que la judeofobia de nuestros días representa una situación pos-
antisemita.

*A. F.:* En tiempos de la emancipación, quienes
se autodenominaban con el obsequioso nombre de
israelíes pagaban su billete de entrada a la sociedad mediante la *negación de su origen* y el rechazo
de cualquier clase de solidaridad con los judíos de
caftán centroeuropeos, incluso, y sobre todo, cuando descendían de ellos. Lo que se espera de nosotros hoy en día es que *neguemos a Israel*.

Es necesario y basta con que gritemos: «¡Sha-
ron asesino!», es decir, que imputemos a Israel toda la violencia de Oriente Medio, para que poda-
mos ver iluminarse los rostros, y al bello mundo,
acogernos con los brazos abiertos. Esto implica,
con una actitud de simpatía por los *parias* y los
condenados de la Tierra, pedirnos otra vez a noso-

tros, los judíos, que demos un signo de reconocimiento para que se nos franquee el ingreso, es decir, que nos comportemos como *advenedizos* para merecer participar en la comida ecuménica de la Humanidad compasiva.

*P. S.:* Eso prueba que usted ha descubierto el secreto de estar siempre equivocado. El mundo judío contemporáneo es el que posee ese misterio. Y se lo declarará equivocado por siempre, lo que quizá sea aún más trágico. Parece imposible que los demás hagan justicia a semejante posición. No se la puede en verdad compartir, salvo que se dé muestras de una forma alocada de filosemitismo y que se ingrese masivamente en la religión judía para compartir la imposible posición de quienes siempre están equivocados. Por otra parte, esto es especialmente doloroso para los intelectuales alemanes, que dependen en cierta manera de la voluntad de los judíos de posguerra para emprender un trabajo de reconciliación, un trabajo que no termina nunca, que sigue estando siempre por rehacer. Luego de la Guerra del Golfo se tiene la impresión de asistir a un endurecimiento. Se oyen cada vez más discursos que reflejan la imposibilidad de la pacificación. El reino de la sospecha se amplía.

# III. ¡Ah!, el Otro. Viaje no sentimental al país de la alteridad

*P. S.:* Usted les reprocha a los intelectuales europeos que se dejen captar por el romanticismo de la alteridad, que proyecten demasiado rápidamente, y de manera demasiado cómoda, una metafísica judía sobre una realidad palestina. Esta representaría un nivel de realidad en total desajuste con la problemática de una persecución milenaria, de una espiritualidad que sería la de la sabiduría pasiva, la del sufrimiento, y de una moral de la responsabilidad sin fin con respecto al otro.

*A. F.:* Dar al Otro lo que le es debido, honrarlo en su *humanidad* y en su *alteridad*, aliar el reconocimiento del semejante con la aceptación de la diferencia, dejar de sacrificar la diversidad humana en el altar de la igualdad entre los hombres: ¿quién no haría suyos tan hermosos ideales? Podría decirse que va en ello la redención de Occidente.

El problema no es, entonces, que nuestra época poshitlerista y poscolonial quiera oponer a todas las modalidades del odio hacia el otro hombre un antirracismo sin fallas; es verla erigir lo que debió seguir siendo en principio una ley moral conocida. La determinación antirracista se ha convertido en tan categórica y tan obsesiva, que ya no hay un solo acontecimiento —pasado, presente, futuro— que no sea soluble en el racismo. El ideal se ha convertido en ideológico. El saludable mandato se ha prolongado en sistema global de explicación de la Historia. En el esquema marxista, todo se retrotraía a la explotación; en el esquema antirracista, que lo suplanta, todo se remite a la discriminación. Es un sistema en apariencia más simpático que la imputación a los Sabios de Sión de todas las injusticias de la Historia y las calamidades que asuelan la Tierra. En vez de buscar culpables, más vale emprenderla con los sinvergüenzas, y no con los inocentes; con los racistas, los antisemitas, los misóginos y los homófobos, y no con la internacional judía.

Pero las apariencias, una vez más, son engañosas. Aplicado al conflicto israelí-palestino, el esquema antirracista coloca a los judíos en el mal campo, en el campo de los hombres a liquidar, en el campo de la abominación, una abominación enteramente política, enteramente humana, que la época contemporánea está muy decidida a vencer.

Ya sean generosas en la intención o inmediatamente odiosas, las visiones del mundo que creen poder dar cuenta del Mal por medio de las acciones de un gran maligno entregan a los judíos, tarde o temprano, a la vindicta universal.

*P. S.:* Me parece muy importante tratar de encontrar el concepto positivo contenido en lo que usted llama el antirracismo. Ese concepto se oculta bajo la forma de la negación. Pues bien, siempre se renuncia más fácilmente a lo que no se quiere, y se adhiere con gran soltura moral a la superioridad que implica esta posición. Si tratáramos de formular el contenido positivo del antirracismo, ¿qué nos daría eso? A mi juicio, el contenido positivo es el mestizaje sin límites o la hibridación infinita. Es la moral de una sociedad de las mercancías, aplicada a las etnias y a las culturas. La idea de que todo se mezcla con todo es la utopía del consumo de todo por todos.

A partir del conflicto israelí-palestino, usted reflexionaba sobre la «naturaleza de las culturas», que sería el tema fundamental de un nuevo diagnóstico sobre nuestro tiempo: ¿adónde hemos llegado con esta creencia en la mezcla de todo con todo? Usted demostraba de manera muy coherente, al menos en lo referido al actual estado de cosas, que una mezcla israelí-palestina era inconcebible en estos momentos. En efecto, nunca encontré a nadie que predicara abiertamente la hibridación de los judíos con los árabes, aunque esto sea la consecuencia lógica de la gramática de la mezcla absoluta.

*A. F.:* Tiene razón. El mestizaje es el valor supremo del antirracismo contemporáneo, su palabra clave, su respuesta a la preferencia nacional y al universalismo conquistador, al rechazo arcaico del Otro y al proyecto moderno de reunir a toda la humanidad bajo el estandarte de la civilización. Frente al racismo, se ha vuelto obsceno, y por buenas razones, invocar el catolicismo del Iluminismo. Ya nada justifica que Viernes sea el esclavo de

47

Robinson, ni incluso su alumno. El Occidente esclarecido se desprende de su arrogancia etnocéntrica y se consagra, bajo el nombre de mestizaje, a todas las experiencias, todas las aventuras, todas las hibridaciones. Renuncia a su vocación asimilacionista ante lo que llama enfáticamente «la hipótesis vertiginosa de la creolización del mundo».[1]

Pero acaso esta modestia ejemplar no sea más que una estratagema de la suficiencia, y esta celebración del Otro, un golpe fatal asestado a la alteridad. En efecto, ninguna exterioridad resiste al mestizaje de todas las cosas. Todo cede, nada permanece allí donde reina la flexibilidad: el choque del encuentro con el no-yo se amortigua en el *océano* de la universal mezcla.

Un hombre que, no conforme con ser gascón por parte de padre, antillano por su infancia, francés por su pasaporte y «judío por parte de su mujer», escucha en una cadena *hi-fi* japonesa, desde un departamento neoyorquino prestado por amigos venezolanos, a una cantante albanesa interpretar a Puccini o a Mahler: ese hombre constituye en sí mismo un perpetuo objeto de admiración. ¿Qué ve cuando se mira el ombligo? Toda la diversidad del mundo. Resulta inútil, pues, mirar hacia otra parte o ponerse a escuchar: yo soy Otro, el Otro está en mí, he aquí que han llegado los tiempos del *alter-echo*. La filosofía del mestizaje es el himno que el narciso contemporáneo escribió para su gloria y para su soledad.

---

[1] Edwy Plenel, *La découverte du monde*, Stock, 2002, página 102.

*P. S.*: ¿Y qué dice ese mestizo soberano europeo sobre el pueblo de Israel o, más bien, sobre la población de Israel y el pueblo judío? Bajo todo ese alboroto de interpretaciones es posible oír una exhortación musitada: disuélvete en la felicidad general, acepta la posibilidad de desaparecer en cuanto entidad étnica. ¿Por qué no entrar por el camino adoptado en el siglo XIX, que era el camino de la asimilación? ¿Por qué esa obstinación en querer ser un pueblo cuando tuvieron la ocasión de desaparecer en un mestizaje cultural absoluto? Eso despierta en mí la reminiscencia de un discurso bastante sombrío pronunciado por el filósofo Jacob Taubes,[2] un autor que comienza a ser algo conocido en Francia gracias a la traducción de su testamento espiritual, publicado con el título *La théologie politique de Paul*. Para mí era un maestro en lo referido a la cuestión judía y a la espiritualidad del judaísmo. Taubes era hijo de un gran rabino de Viena, Zvi Taubes, quien pretendía haber tenido un sueño, una visión, en que le había sido revelado que el Señor quería aniquilar a su pueblo. Ese sueño parece haber ocurrido en 1937, en las cercanías de Navidad, tras lo cual tomó la iniciativa de abandonar Austria e ir a vivir a Suiza.

En Zurich tuve ocasión de visitar la tumba de Jacob Taubes. Este tenía la costumbre de pronunciar discursos en un tono irrecusable. Según él, la «solución norteamericana», la idea de que algún día se podría escribir la historia del pueblo judío con el título «Del gueto al campo de golf», resulta-

[2] Jacob Taubes, *La théologie politique de Paul*, Seuil, 1999.

49

ba inadmisible, era la peor de las obscenidades. Antes morir que aceptar esta autodisolución del judaísmo en la vileza del mestizaje absoluto, que es el modelo norteamericano. Dicho esto, Taubes se atrevía a agregar cosas terribles, al afirmar, por ejemplo, que Hitler, a su manera, tenía una intuición más adecuada que todos los liberales acerca de lo que significa el pueblo de Israel. Al tratar de golpear a ese pueblo en su carne, es decir, al tratar de llevar a cabo su extinción física, habría comprendido que cierta clase de espiritualidad necesita de cierto *container* étnico. Esto explicaba, a su juicio, el hecho de que, para liberarse de la provocación espiritual del judaísmo, fuera necesario golpear en el nivel físico.

Estoy seguro de que Taubes inauguró un discurso extremadamente rico en consecuencias. A partir de allí, se puede formular la pregunta: ¿Qué es ser un pueblo? Según él, los judíos habrían tenido la vocación de enseñar a los otros el arte de ser un pueblo, es decir, de formular un principio de coherencia espiritual que estaría físicamente anclado en una genealogía biológica, pero que constituiría al mismo tiempo la propagación de una espiritualidad mediante un proceso de generación que pasaba de madre a hija y de padre a hijo. Esto probaría que lo esencial de la cultura reside en el misterio de la transmisión. Esta transmisión debe efectuarse en el seno de un pueblo consciente de sí mismo, y la generación de la cultura exige la creencia en la continuidad de las generaciones. El concepto filosófico de este estado es la relación generativa real, que no se deja reducir a la idea de una educación pública homogénea. Todo el mundo puede disolverse en generalidades. Taubes era, según su estructura espiritual, un adopcionista y, para hablar de manera cristiana, un pescador de hombres. Tenía una fe profunda en la posibilidad de poner la mano sobre el hombro de alguien y decirle, como Juan Bautista en el Jordán, según Lutero: «*Das ist mein lieber Sohn, an dem ich mein Wohlgefallen habe*» («Este es mi hijo bienamado, que tiene todos mis favores»). En ese momento, la paloma desciende de los cielos y una voz resuena en lo alto.

Taubes era un pescador de hombres: un adoptador que quería que ese proceso de hacer hijos e hijas continuara en la carne y en la palabra. Según él, la verdad judía consiste en esa doble propagación. Si la primera desapareciera, la segunda sería imposible. Se ponía más que serio cuando se trataba de la misión mesiánica del pueblo de Israel. Todas esas referencias permiten adivinar por qué la civilización europea tiene dificultades para concederles a los judíos el derecho a salir de su escenario espiritual. Por otra parte, estos últimos brindan un ejemplo amargo de todo lo que puede ocurrirle a una nación «sin espacio» que se territorializa.

*A. F.:* Los griegos inventaron la *ciudad*. Roma nos legó el *Imperio*. Y fue a los judíos, como dice usted al referirse a Taubes, a quienes les correspondió, a pesar de su desgracia, enseñar a los demás *el arte de ser un pueblo*. Por otra parte, esta filiación y esta deuda están inscriptas en el frontispicio de los monumentos más venerables. La presen-

cia de una galería de los reyes de Judá en la facha-
da de Notre-Dame, y la de David y Goliat en la fa-
chada de la Catedral de Reims, testimonian la importancia del modelo de Israel en la constitución y
la personalización de la nación francesa. Incluso
se puede decir, junto a Paul Thibaut, que «los reinos cristianos fueron un resurgimiento del judaísmo dentro del cristianismo». De esa manera, hubo
algo así como una transposición de la noción de
alianza: «Las unidades políticas que se formaban
en el marco de la cristiandad debían afirmar que
tomaban parte en la realización de un ideal universal; que tenían una vocación; que eran, a la manera del pueblo judío luego de Abraham, una bendición para los demás; que su existencia no sólo
era un hecho, una particularidad, un poder, sino
un bien para la humanidad. . .».[3]

La Europa de hoy no otorga ningún crédito a
este intrincamiento de la facticidad y la trascendencia. Entre lo ético y lo étnico —dice—, Hitler
abrió un abismo. El pueblo europeo al que llama
con fervor debe emerger, pues, de una «desestabili-
zación autocrítica de las memorias nacionales».[4]
Nuestra Europa profesa no la continuidad genea-
lógica, sino la ruptura con las generaciones anteriores y su creencia en las patrias carnales. El modelo (y el remordimiento) de esta Europa penitente ya no es el del Estado de David o de Salomón; es
la figura del judío *apátrida*. Cree que se puede ex-

[3] Paul Thibaud, «Europe et nation», *Politique autrement*,
enero de 2002, pág. 7.

[4] Jean-Marc Ferry, *La question de l'État européen*, Gallimard, 2000, pág. 39.

piar el hitlerismo reemplazando el apego tradicional al terruño, a la lengua, a la cultura de origen, por el patriotismo constitucional, es decir, por el compromiso de los individuos frente a los principios abstractos del Estado de derecho. Para decirlo de una vez: el deambular y la desdicha judíos le enseñan a la Europa habermasiana el arte de ser una *comunidad moral posnacional*. Sin embargo, ocurre que los maestros derogan, cuelgan los hábitos, traicionan e incluso se rebajan hasta desafiar los valores adosados a su nombre por el antifascismo europeo. Tal es el caso —condenable— de los sionistas: «Instalarse en la idea de un Estado judío —escribe la profesora de derecho internacional Monique Chemillier-Gendreau— es proseguir con la edificación de una sociedad de *apartheid* y es aceptar, en nombre de la reciprocidad, que en todas partes del mundo también se construyan Estados "puros", esa locura que linda siempre con el extermino y que a veces lo pone en marcha».[5]

Purificarse de la pureza mediante el mestizaje; disipar el señuelo de la identidad; a la pregunta: «¿Qué es ser francés, alemán, turco, croata, persa o serbio?», responder por el Derecho y no por la Historia: he ahí las lecciones que los buenos europeos se aplican a extraer del siglo de los «campos». Rechazan, jactándose de ello, cualquier derecho de ciudadanía a ese elogio de Maurice Blanchot a su amigo Emmanuel Lévinas: «Fue para mí como la

[5] Monique Chemillier-Gendreau, «Le retour des palestiniens en exil et le droit international», en *Le droit au retour*, textos reunidos y presentados por Farouk Mardam-Bey y Elias Sanbat, Actes Sud, 2002, págs. 314-5.

propia expresión de la excelencia francesa».[6] Conferirle a la palabra «francés» cualquier otro significado que no sea administrativo es, de allí en más, deslizarse por una cuesta. Admirar en un rostro la obra de las generaciones es salirse de los límites de lo admisible. Significa recorrer el oscuro sendero del fascismo, ver el linaje en el individuo y llamar francés a un estilo, a una manera de ser o de decir, a una tonalidad, a un sonido musical o aun a cierto rasgo «que va desde los frescos romanos del priorato Saint-Gilles, en Montoire, hasta las grandes composiciones de *La danza* de Matisse».[7] En suma, es flirtear con lo peor no considerar la pluralidad humana como un libre servicio donde todas las identidades están a disposición, donde todo el mundo puede ser todo el mundo.

El arte de ser un pueblo ya no está de moda. Lo que se requiere, a la inversa, es liberar del origen a los adjetivos de nacionalidad. Un escritor francés —Renaud Camus— resiste a ese gran mandato porque cultiva su herencia, pero también porque, por otra parte, le gusta demasiado el pasapurés del mestizaje como para abandonarlo sin chistar. Renaud Camus no es nominalista. Sin cuestionar jamás el derecho a la nacionalidad, se niega a atenerse a una definición de la nacionalidad mediante el derecho. Se atreve a escribir: «El sentido de pertenencia a una misma nación surge esencialmente de una experiencia histórica compartida,

[6] François Poirié, *Emmanuel Lévinas, op. cit.*, pág. 71.

[7] Jean Clair, *La responsabilité de l'artiste*, Gallimard, 1997, pág. 74 [*La responsabilidad del artista: las vanguardias, entre el terror y la razón*, Madrid: Visor, 1998].

de un conjunto de mitos secularmente anclados, de una comunidad epidérmica de palabras, de reacciones, de maneras de aprehender el suelo y lo real».[8] Dicho de otra manera, adhiere a «un afrancesamiento hoy casi imaginario, al afrancesamiento de otra época, a algo que ya no existe y que todo lo contradice, a excepción del tesoro abandonado de los libros».[9]

Ese anacronismo induce a Renaud Camus a arriesgar preguntas escabrosas sobre las fronteras de Europa, sobre cuánta *densidad de tiempo* se necesita para vertebrar a los seres, sobre los acuerdos tácitos, las referencias implícitas, la memoria particular que distingue entre sí a las comunidades humanas, y también sobre el grado de intimidad de los judíos de reciente inmigración con la experiencia francesa «tal como fue vivida durante unos quince siglos por el pueblo francés sobre el suelo francés».[10] Esas preguntas provocaron un escándalo. *Antes aun de oír las respuestas* que les daba Renaud Camus, los representantes franceses de la nueva comunidad moral europea las calificaron de *opiniones criminales*.

Hubo entonces en Francia un caso Renaud Camus (cuyo eco debió de llegar hasta Alemania), pero no hubo «caso Monique Chemillier-Gendreau». Los mismos mediadores culturales que proclamaron la muerte simbólica del escritor condenándolo por antisemitismo, tendieron la alfombra roja an-

[8] Renaud Camus, *Du sens*, POL, 2002, pág. 39.
[9] Renaud Camus, *La campagne de France: journal 1994*, Fayard, 2000, pág. 163.
[10] *Ibid.*, pág. 329.

te la jurista cuyo aporte esencial a la inteligencia de nuestro tiempo consiste en *criminalizar*, sin levantar nunca la voz, a los judíos que persisten en pensarse como pueblo, es decir, en establecer una diferencia entre el «nosotros» que integran y los demás «nosotros» que habitan la Tierra.

*P. S.:* El eco del «caso Camus» nos llegó apenas. Después de la catástrofe del Holocausto, los alemanes se han «rascado el trasero, los territorios, los espíritus»* con el fin de hacer desaparecer de la lengua y de la literatura cualquier rastro de un vocabulario con connotaciones fascistas. Palabras como «suelo», «pueblo», etc., resultan sospechosas, y no sé si el escritor que las utilizara encontraría con facilidad un editor al otro lado del Rin. Entre nosotros existe un filtro semántico «natural» debido a nuestra historia. Ciertos escándalos no son compartidos porque no tienen lugar donde tener lugar.

* Canción de Wolf Biermann.

# IV. El estadio y la arena

*P. S.*: Habría que comenzar por establecer una «zoología» de los escándalos en los diferentes países europeos para rastrear la acción y la presencia de lo que usted llama la ideología dominante del antirracismo. ¿Qué es el antirracismo en términos filosóficos? Es la proyección de un nominalismo exacerbado en el nivel de las entidades políticas. Se acepta la existencia de Europa en cuanto reunión atomizada de poseedores del poder de compra. Todo lo que vaya más allá provoca el reflejo individualista. El poseedor del poder de compra encarna la mónada que poblará el Estado-nación incoloro, los que sucederán a los coloridos Estados-nación de otrora. Esta voluntad de palidecer, esta búsqueda de lo monocromo, es un fenómeno fascinante: representa la versión europea del concepto de *melting-pot*, la aplicación del nominalismo y de la ontología política del nominalismo a nosotros mismos. Todo eso conduce indirectamente a una versión del individualismo que pretende que los grupos sean «desrealizados», que las entidades de varias cabezas sean declaradas irreales y que todo lo que surge del orden de lo general —recurriendo por un instante a la lengua de Hegel: de las *generalidades*— se convierta en sospechoso de atentar contra la dignidad de quien ostenta el poder de compra.

En lo que tiene que ver con mi itinerario intelectual, el descubrimiento de lo que fue la Europa de antes se desarrolló al cabo de varias visitas a las universidades norteamericanas. Para mí, esas universidades eran como los verdaderos museos de una Europa aristotélica; en ellas, el fundamento de la ciudad a partir del diálogo y de las discrepancias de los ciudadanos parecía vivo todavía. En los *campus*, en esos islotes académicos del Nuevo Mundo, la vieja Europa había sobrevivido, mientras que entre nosotros había desaparecido. El recuerdo de las grandes culturas nacionales europeas se conservaba en filologías de muy alto nivel. El espíritu primitivo de la ciudad, el gesto del *synoikismos*, la constitución de un pueblo nuevo a partir de la voluntad de vivir juntos y de crear una unidad entre un proceso de generación y un proceso de reflexión, todo eso era —o parecía ser— aún un dato real en la *akademia* transatlántica. Para mí, la realidad del *campus* fue la revelación norteamericana, lo cual resultaba muy paradójico, por supuesto, porque esos islotes del mejor espíritu europeo sobrevivían en el desierto social que los rodeaba, en un espacio cultural por completo híbrido, donde la mezcla absoluta había comenzado a ejercer su poder.

*A. F.:* Sin duda que usted fue uno de los últimos beneficiarios de esta revelación. Pues los islotes de los que usted habla desaparecen. Al hacer comparecer a todos los libros ante el tribunal permanente del multiculturalismo, lo *political correctness* desalojó a Europa de los *campus* norteamericanos. Ahora, en la *akademia* transatlántica no hay ninguna necesidad de darse una vuelta por lo anterior. El pasado ya no se halla en posición preeminente; es el presente el que lo inspecciona y lo recrimina duramente. Los *afro american studies*, los *women studies*, los *gay and lesbian studies*, los *queer studies* han reemplazado la conversación cortés con investigaciones policiales cuyos resultados son conocidos de antemano. Todos esos *studies* significan, por otra parte, que lo *political correctness* ha dejado de ser una corriente o un movimiento de protesta; es un pensamiento mineralizado, institucionalizado, fundido en el bronce de las disciplinas universitarias. Si bien en ese archipiélago ahora normalizado hay, aquí o allá, islotes de resistencia, ya no es posible la marcha atrás.

*P. S.:* Tiene usted razón. Acabo de esbozar una imagen nostálgica de la vida académica de Estados Unidos. Pero en la década del ochenta, cuando realicé mi primera visita, en las ciencias humanas y sociales todavía reinaba un europeísmo en estado puro. En la década del noventa, cuando enseñaba en las universidades norteamericanas, estas ya estaban inundadas por lo políticamente correcto; era el fin del libre pensamiento. Hoy en día, la mineralización es completa. Hay dos buenas razones para ponerse el traje de luto: por la antigua Europa y por esos islotes del espíritu europeo que habían sobrevivido en tierras norteamericanas. En estos momentos, la psicosis de masas mediática ha reemplazado totalmente al sentido común, ese maravilloso órgano de uso democrático de la inteligencia colectiva.

En Alemania la situación es diferente. La prensa no se halla tan nacionalizada o concentrada, y el movimiento centrífugo de los medios de comunicación es tan poderoso que resulta muy difícil encontrarse con alguien que haya leído el mismo libro que uno. Por su parte, en Francia se da un efecto centralizador que no es del todo despreciable. Eso crea una atmósfera. Así, pude descubrir en la primera página de *Le Monde* la existencia de un libro de un tal Lindenberg.[1] ¡Qué idea la de llevar a cabo una obra en la que casi la totalidad de los intelectuales interesantes de un país es denunciada de una manera indigna! Pero, por otro lado, la soberbia idea de Francia en relación con los otros paisajes intelectuales consiste precisamente en eso. Escribir un texto provocador puede generar un debate nacional, mientras que, por otra parte, aquel se ahoga en una bruma indiferenciada.

*A. F.:* Sin duda, todavía queda en Francia suficiente gente común como para que los debates nacionales puedan nacer y tomar cuerpo, pero ya no hay la suficiente cultura, civilización, gusto por la conversación, humildad ante la complejidad de las cosas, como para que esos debates sean *dignos*. Lo demuestra la fulgurante carrera del pobrísimo libro que usted ha citado. Si el día de un atentado en Jerusalén y de la entrada en la OTAN de los pe-

[1] Daniel Lindenberg, *Le rappel à l'ordre: enquête sur les nouveaux réactionnaires*, Seuil, 2002.

queños Estados europeos recientemente emancipados de la tutela soviética, el periódico de referencia de nuestro país hipercentralizado eligió titular refiriéndose a «los nuevos reaccionarios», no era porque el autor de ese ensayo generara un debate, sino porque instituía una lista negra y cerraba con un sonoro portazo la puerta de la legítima discusión en la nariz de una veintena de escritores e intelectuales bastante renombrados, a fin de que la agresividad de ese gesto excitara al público.

El reaccionario, en efecto, no es un interlocutor. Es un ser que no debería ser, un vestigio, una reliquia, un escándalo ambulante. La humanidad que vive en el elemento de la Historia llama reaccionario al individuo que la humanidad que evoluciona en el elemento de la Naturaleza designa comúnmente con el nombre de canalla o inmundicia. Con el reaccionario no se habla: se lo desenmascara y se lo expulsa, pues en él coinciden el escandaloso y el anticuado.

Los primeros en ser gratificados con el infamante mote fueron los termidorianos y, más en general, los nostálgicos del *Ancien Régime*. Luego, bajo el prolongado reino progresista, les llegó el turno a los capitalistas y a los burgueses. Los nuevos reaccionarios, los que vinieron después de la caída del Muro de Berlín, son los racistas, ni más ni menos. Y, al parecer, aumentan sin cesar. «El levantamiento de los tabúes es bueno cuando se afirma que la URSS no es el paraíso de los trabajadores —señalaba Daniel Lindenberg en una entrevista publicada por *Libération* inmediatamente después de la aparición de su libro—. Pero si eso lleva finalmente a decir "¡Muerte a los judíos!", "¡Muerte a los árabes!", "¡Cuidado con los jóvenes!", entonces no». El periodista cómplice que lo interroga se muestra, pese a todo, algo sorprendido: «Ninguno de aquellos a los que usted se refiere ha dicho eso». El investigador lo admite, pero tras ello agrega que después del 21 de abril un filósofo como Pierre Manent atribuyó el éxito de Le Pen al sentimiento de una triple desposesión, por el integrismo musulmán, por Europa y por la mundialización. Así fingía interpretar un fenómeno, cuando en realidad lo legitimaba.

Dicho de otra manera, los nuevos reaccionarios son esa gente infinitamente perniciosa que legitima las bajas pasiones arropándolas de conceptualidad. Con esta actitud, y mediante la apología de la discriminación, promovida continuamente por su elitismo cultural y su defensa de la selección en la escuela, han contribuido a hacer real lo impensable, es decir, la presencia de un candidato racista en la segunda vuelta de las primeras elecciones presidenciales francesas del tercer milenio. Ni más ni menos.

¿Dónde está el debate? ¿Dónde están el intercambio, la deliberación, el disenso, la discordia? De acusación se trata. Lo que se lleva a cabo es un proceso. Es un fiscal que se enfrenta con criminales. No se está en el ágora: se está ante los tribunales judiciales. Y si en vez de preguntarles a los historiadores, a los sociólogos y a los politólogos por las razones de la penetración de Le Pen, usted invoca el *principio de la razón insuficiente*, apreciado por Musil, es decir, el hecho de que se produzca un acontecimiento sin ninguna razón válida, entonces, usted agrava su situación y el Tribunal aumentará su pena. En efecto, no era necesario que el «sismo» del 21 de abril fuera el resultado triste y fortuito de una confluencia de circunstancias: el hecho de que las elecciones se celebraran durante un día de vacaciones, la dispersión de los votos de la izquierda en un número demasiado amplio de candidatos, dar por descontado de antemano el resultado del acontecimiento según los sondeos previos de opinión, fue lo que llevó a muchos electores «ciudadanos» a concluir que la primera vuelta estaba asegurada y que podían reservarse para la final.

Tales argumentos parecen otras tantas trabas sacrílegas para el deseo de ver ocupar la escena política al combate del Bien contra el Mal. No habrá debate mientras vivamos bajo el reino de ese deseo intenso.

*P. S.:* ¿No es esta una constante francesa desde 1789? La denuncia moralizante es un juego de lenguaje inventado por los jacobinos en el período de la radicalización de la Revolución. Habían comprendido que para sobrevivir en la turbulencia permanente era preciso calumniar antes que los otros. La calumnia es la primer arma del pueblo o, mejor dicho, de los amigos del pueblo.

Dos breves comentarios sobre la búsqueda del sustrato fascista. Es evidente que se trata de psicoanálisis a la ligera. Todos los veteranos del 68 se han convertido en psicoanalistas aficionados y todos somos víctimas de esa forma de pensamiento.

Están convencidos de tener la capacidad de hacer público el inconsciente del otro. Gracias a que te escucho, el libro abierto que eres se vuelve legible. Y dado que llevas contigo por lo menos tres monstruos que yo puedo reconocer mejor que tú, es a mí a quien le corresponde poner en evidencia a los monstruos que habitan en ti. Ante todo, el monstruo fascista, que se oculta tras tu sonrisa liberal; luego, el monstruo judeófobo, que se oculta tras tu filosemitismo, y finalmente, el monstruo antifeminista, que se oculta tras tu pretendido amor por el bello sexo y tu adhesión a la causa de las mujeres. Siempre hay tres reptiles en tu terrario inconsciente, cuya presencia puede demostrarse. Ese saber del inconsciente representa una nueva etapa en la evolución de la calumnia esclarecida.

Otra observación. La inundación del espacio mediante escándalos artificiales demuestra que el gusano está en el fruto, que algo ya no funciona en el concepto del espacio público ciudadano, tan apreciado por los habermasianos y por la izquierda liberal. El concepto de espacio público no tiene sentido si no corresponde al de un teatro donde cada uno se expresa sin segundas intenciones. Al suprimir la obligación de tener segundas intenciones, se permite el ingreso en el régimen de combate de los argumentos explícitos que es patrimonio de la democracia. Es, por otra parte, un ejemplo que Emmanuel Kant ya aprovechó en su famoso tratado *Sobre la paz perpetua*, al denunciar a los reyes tramposos que hacen la paz con la firme intención de recomenzar la guerra. Para que la paz sea duradera, trata de excluir el engaño político del espacio público. Al darles a todos el derecho a expresarse con libertad, la democracia suprime ese trasmundo interior en los ciudadanos, del que podrían volver los reptiles. La hipótesis del *free speech* fue aplicada de manera más radical en Estados Unidos que en Europa. Antes del auge de lo políticamente correcto, era legítimo defender las opiniones más extremas, incluidas las antisemitas y las racistas, lo cual es mucho más sano que formular suposiciones sobre las eventuales segundas intenciones del otro. Pero ahora un clima de persecución ha invadido el espacio público. La libertad de expresión está en plena degradación. Ya nadie piensa que el otro dice lo que quiere decir. Lo *politically correct* desencadena un proceso que termina en una paranoia generalizada.

Esto nos lleva a un tercer aspecto. Aquí interviene mi hipótesis referida a la sociedad del escándalo: se puede decir que la sociedad contemporánea en su totalidad ha sido calcada de la forma del circo romano. Según usted, cierto fascismo retornaría hoy bajo la forma de un pretendido antifascismo. La indiferenciación que supone la práctica de la calumnia nos retrotrae efectivamente al fenómeno de una teatralidad fascistizante nunca suficientemente elucidada. Propongo vincular al fascismo con el circo romano, primer teatro de la crueldad. El circo romano era el lugar donde se asistía a la transformación del duelo militar, del combate de guerreros, en espectáculo que provocaba fascinación. Si hoy algo ya no funciona en el sistema mediático mundializado, la causa es esta conversión cada vez menos secreta, cada vez menos decente, del espacio público en circo. La sociedad de la diversión inventada en la Antigüedad romana vuelve bajo la forma de la sociedad del espectáculo.

Además, esa sangre vertida en las arenas del circo no debe ser una sangre indiferenciada. Debe ser, preferentemente, la de personas civilizadas, honestas. La idea del circo era la equidistancia del espectador con relación a los leones y a los cristianos. En cuanto espectador, tengo el derecho de divertirme, aun mirando un combate desigual. Se entiende por qué la cultura cristiana debió ganar su batalla contra el espectáculo, para ganar su batalla contra el imperio romano. Si alguna vez hubo un antifascismo en Roma, este fue el de la resistencia de los cristianos a los juegos. Hoy, con el retorno de la sociedad de la diversión articulada en torno al regreso del circo, todo lo que es serio y grave se vuelve otra vez objeto de espectáculo. La sangre moral de las víctimas inocentes a las que se ofende tiene que correr para que el espectáculo pueda continuar.

Mientras no se haga un análisis radical de ese funcionamiento del espacio público, la democracia seguirá siendo un concepto vacío. En cuanto a nosotros, nos hemos convertido en gladiadores a pesar de nosotros mismos. Yo tuve el privilegio de despertarme una mañana y ser tristemente célebre. Al mismo tiempo, descubrí que la única manera de salir vivo de la arena consiste en ganar el combate y enfrentarse con la hostilidad. Sin embargo, esta imposición es totalmente ajena a mi estilo de vida, que prefiere la discreción y la calma.

*A. F.:* Para entender mi situación, también debo remontarme al juego de lenguaje inventado por los jacobinos. Lo que me condena a llevar una vida guerrera es el hiperbolismo robespierrista, esa inclinación —de la que Francia no tiene el monopolio pero sí la patente— a considerar la política como el escenario donde se desarrolla una lucha de titanes entre los «dos genios contrarios que se disputan el imperio de la Naturaleza: el crimen y la virtud».[2]

Los estalinistas no desmontaron ese gran teatro; actuando como émulos de Robespierre, y tal como lo señaló Malraux, eligieron instaurarlo como algo para atacar siempre en el plano moral: «Lo que necesita ese modo de pensamiento no es que el adversario sea un adversario, sino que sea lo que en el siglo XVIII se llamaba un malvado».[3]

Por un momento pudimos llegar a creer que la denuncia de la impostura comunista nos había liberado de una vez por todas de ese *idealismo radical*. Nos equivocábamos. Robespierre está siempre allí y ahora denuncia la villanía de los intelectuales que se atreven a complicar el paisaje antirracista al tomar nota del auge de los sentimientos judeófobos en la comunidad musulmana. La realidad de ese antisemitismo está «en tela de juicio»,[4] escribe el imperturbable Lindenberg. Ninguna

---

[2] Robespierre, citado en Patrice Gueniffey, *La politique de la terreur*, Fayard, 2000, pág. 318.

[3] André Malraux, posfacio a *Les conquérants*, Livre de poche, 1965, pág. 263 [*Los conquistadores*, Barcelona: Argos-Vergara, 1980].

[4] Daniel Lindenberg, *Le rappel à l'ordre, op. cit.*, pág. 62.

realidad tiene el derecho de impedir que se cubra toda la realidad del mundo con el conflicto de dos voluntades.

Pero, por mi parte, cedería al vértigo de la hipérbole si olvidara la oportunidad que tengo de vivir de modo farsesco o de comedia una historia que fue trágica para las generaciones anteriores. La guillotina ha sido arrumbada en la tienda de los accesorios y en Europa ya no hay campos de concentración. Sólo nos quedamos con que nuestros ridículos escándalos y el atronador retorno del adjetivo «reaccionario» en los editoriales de la *doxa* revelan la incapacidad de la vida intelectual para *salir del radicalismo*. Esta persistencia de Robespierre, más allá de la metamorfosis del espíritu de la época, merece ser tomada en serio.

*P. S.:* La recurrencia de la palabra «serio» en nuestra conversación me desvela. En efecto, hay muy buenas razones para volver a ese término. El concepto de serio en cuanto tal fue puesto en órbita por los acontecimientos que vivimos. Usted hizo referencia a esta fórmula de comienzos del *18 Brumario* de Marx, según la cual todos los acontecimientos históricos tienen lugar dos veces: la primera vez como tragedia y la segunda como farsa. Se puede tomar en cuenta el hecho de que Marx inventó una cita maravillosamente falsa al reproducir un pasaje de Hegel sin recordar el contexto preciso. En Hegel, en sus *Lecciones sobre filosofía de la historia universal*, se trataba del desdoblamiento del fenómeno César por el fenómeno Octavio. Para el filósofo, era preciso que lo sustancial de la política de César fuera confirmado por la repetición, es decir, por Octavio, su sobrino. Todo lo que es serio vuelve. Lo serio, en la historia mundial, es lo que crea una serie, lo que se consolida para demostrar que el primer fenómeno no era un episodio, sino una expresión de la necesidad histórica. El sobrino pone definitivamente en marcha lo que habría podido quedar como un episodio si el espíritu de la época no hubiera estado del lado de César. La repetición demuestra la dignidad histórica del acontecimiento. Un acontecimiento aislado no es nada: sólo la repetición ofrece la prueba de que estaba ocurriendo una fatalidad o, mejor dicho, una necesidad. El ingreso en el cesarismo estaba a la orden del día, y Octavio, a quien luego se llamaría Augusto, era la prueba viviente de la tendencia histórica. Augusto no era una farsa, sino una confirmación trágica. Por su parte, Marx tenía ante sí un fenómeno diferente: la repetición perfectamente ridícula de Bonaparte en Napoleón III. Sin embargo, el espíritu de la época y las exigencias del capitalismo avanzado imponían justamente ese estilo de poder: el imperialismo edulcorado, embellecido por todo el *savoir-vivre* del Segundo Imperio.

Si utilizamos el fenómeno de la repetición como hilo conductor a través de nuestra época, volvemos a nuestra pregunta inicial: ¿Por qué hemos vivido una serie tan larga de falsos escándalos? ¿Cuál es el principio de seriedad que reside en esta serie? La clave del asunto es la monetarización de la verdad. La opinión pública se ha transformado en una Bolsa. Publicar opiniones equivale hoy a ne-

gociar acciones, acciones de opinión. La publica-
ción de una hipótesis que escandaliza es el equivalente publicitario del lanzamiento de una nueva
acción en la Bolsa. Si el tema lanzado tiene algún
valor, los colegas están condenados a comprar. No
pueden permitirse no aprovechar las ventajas de
una denuncia eficaz. Se ame o se deteste el mensaje nuevo, el sistema exige que se lo repita: incluso
las tonterías más evidentes son constantemente
reiteradas por la gente más inteligente. ¿No es notable? Eso demuestra que la seriedad de nuestro
tiempo es el capitalismo de la opinión. Ese mecanismo hace que la Bolsa periodística se confunda
con el circo romano. El espacio público de la modernidad ha sido penetrado por dos mecanismos
de competición: el de las acciones de opinión y el de
las sensaciones del circo.

En nuestro tiempo, la cuestión consiste en saber si existe una vida fuera del circo. La mayoría
de los contemporáneos responden por la negativa.
Están convencidos de que sólo el circo aporta la
*vita vitalis*, esta vida desdoblada en un sentimiento de significación. Si no se forma parte del circo,
ya no se existe. Para volver al modelo histórico: el
logro del cristianismo consistía, justamente, en el
hecho de crear un segundo centro de significación
o un contracirco, un circo de salvación. Este tuvo
su más brillante expresión en la creación de la plaza frente a la Basílica de San Pedro, en Roma. Allí,
los participantes del circo divino podían reunirse y
rechazar los juegos crueles de los mundanos. Esto
amerita que nos detengamos un momento. Aunque el circo romano haya sido una farsa seria, su

longevidad debería alarmarnos. Que la masacre y la diversión mediante la masacre hayan podido mantenerse durante un período de seiscientos años, o sea, dos veces más que la modernidad en su cronología actual, constituye seguramente un fenómeno único. El circo romano existió desde el año 200 a.C. hasta su prohibición por los emperadores cristianos, hacia el año 400 d.C. Seiscientos años de farsa organizada, seiscientos años de cultura de masas en estado puro. La *venatio*, la cacería de grandes animales para el circo, el elemento más espectacular de los juegos antiguos, subsistió en España bajo la forma de la tauromaquia. No debemos olvidar nunca que la corrida de toros es un descendiente directo del circo romano. El espectáculo de la muerte, con su superestructura neopagana y vitalista, servía de catarsis colectiva.

La civilización romana transformó el atletismo griego y se llevó la victoria de la arena al estadio. Hoy hablamos de nuestros campos de batalla deportivos empleando la terminología griega —el estadio de Francia, los estadios olímpicos, etc.—. Pero la forma arquitectónica dominante es la de la arena romana, el circo, el espacio cerrado, la totalidad circular. El estadio griego, por su parte, exigía un lado abierto. Los helenos detestaban el totalitarismo de una construcción cerrada. Su estadio, si bien era ya una maquinaria que producía vencedores y vencidos, no era aún una trampa.

No es pura coincidencia el hecho de que con el siglo XX, o más precisamente con la reintroducción de los juegos olímpicos, el antiguo culto de la diferencia entre el ganador y el perdedor haya vuelto al centro de los tiempos modernos. En efecto, hoy orientamos nuestra vida bajo el signo de la victoria y el éxito. Para vivir es preciso estar entre aquellos que sobreviven en la arena. El circo contemporáneo no es sólo el lugar donde se atribuye el significado de la *vita vitalis*, sino que es también el lugar donde se efectúa la selección entre ganadores y perdedores. El gran problema de nuestra cultura será reencontrar una nueva fórmula para pacificar a los perdedores. Innumerables personas, incluidos muchos combatientes de izquierda pacificados, están infectados por el virus de la derrota no compensada mediante gratificaciones civilizadoras, hasta el extremo de olvidar los buenos modos de la cultura intelectual. Los nuevos denunciantes, en el momento de la derrota, tratan de cambiar las reglas del combate. En eso consiste el fascismo. Se dejan caer los buenos modos del combate en el momento en que se comprende que en la arena actual se corre el riesgo de perder la ventaja. Se realiza entonces un último y desesperado esfuerzo por negar la derrota. Por ese camino, el terrorismo jacobino entra en nuestra cultura. Ya están entre nosotros los nuevos bárbaros, fiscales, acusadores, demagogos. Y nuestra inmunidad contra la tentación fascista es frágil cuando el fascismo se presenta bajo la insignia del Bien. La gran lección de la posguerra está lejana. Por cierto, somos los nietos de la gran Abuela Libertad, que ya es un lejano recuerdo. Cuando se ha perdido la libertad, sólo se comparte un vago saber de lo que pasa. Se pierde la conciencia del valor civilizador, del respeto por el adversario y de los buenos modos intelectuales. Es el espíritu de la arena que hace fuego sin escatimar medios, y el objetivo del éxito se convierte en el último culto de la civilización. En todas partes se levantan altares para celebrar la victoria. Es necesario no olvidar que fue un emperador cristiano del siglo IV quien se atrevió a levantar el palacio de los senadores en Roma, el Palacio de la Victoria, símbolo supremo del éxito imperial romano. Fue el acto más rico en tenor simbólico de toda la Antigüedad tardía: eliminar del espacio público todos los símbolos de la religión victoriosa. Y henos aquí, de nuevo sumergidos en ese culto, sin la menor protección. Nuestro trabajo de civilización comienza aquí: reformular un código de combate que implique la preocupación por el enemigo. Quien no quiere ser responsable de un enemigo ya ha cedido a la tentación de lo peor. Querer ser responsable de su enemigo sería el gesto primordial de una ética civilizadora de los conflictos. Si la forma del malvado es la única manera de concebir al enemigo, uno ya se encuentra implicado en la masacre imaginaria. Incluso si aún aprovechamos de algunos restos de civilización, el espíritu de la masacre nos toma por el cuello. Nuestros terrorismos nos llegan en las patas de las palomas.

# V. El partido único de lo universal

*A. F.:* Roma inventó la arena, pero los que hoy nos impulsan a convertirnos en gladiadores no son neronianos: son rousseaunianos. No es la crueldad aquello que los anima, sino el sentimentalismo. Confeccionan listas negras por celo compasivo, y con lágrimas en los ojos defienden su visión maniquea de la Historia contra cualquier irrupción de un acontecimiento imprevisto o de una secuencia desconcertante.

Un día de marzo de 2002, en un establecimiento de enseñanza de París, el Liceo Bergson, dos jóvenes fueron rodeadas por otros quince alumnos que las insultaban: «¡Judías sucias!», «¡Hiedes a judía!», «¡Eres una puta y además eres judía!», «¡Ustedes, los judíos, con vuestro maldito muro!». Los alumnos se reían ante cada insulto. Pero las humillaciones no fueron únicamente verbales. Manzanas y queso fueron arrojados al rostro de las jóvenes. Les ensuciaron la ropa. «¡Los judíos no se lavan!», gritaba uno de los alumnos. Luego, los verdugos les tiraron del cabello varias veces. Se les ordenó que se arrodillaran y pidieran perdón por ser judías. Las jóvenes temblaban de miedo, pero no se arrodillaron. Fueron abofeteadas. Las amenazaron con represalias en caso de que hablaran.

El calvario duró cuarenta minutos. Traumatizadas, ambas jóvenes dejaron de asistir al establecimiento.[1]

Dado que ese liceo fue luego escenario de otros incidentes violentos, una emisora radial le dedicó un breve informe. El director aprovechó el micrófono que le brindaban para quitarles trascendencia a los incidentes y afirmó que el establecimiento a su cargo, con alumnos pertenecientes a treinta y seis nacionalidades, era un magnífico sitio para escuchar, para el diálogo y el intercambio. Para él, así como para Daniel Lindenberg, no había (casi) nada que señalar. No se trataba de que estos dos centinelas tuvieran la menor indulgencia frente al antisemitismo. Ocurre que este no es reconocible, digno de contar y de ser combatido, sino con la condición de ser un francés de pura cepa. En otros términos, no debe salir del drama que, se supone, decide los destinos del mundo: la lucha gigantesca entre esos dos genios contrarios, el mestizaje y los pequeños Blancos.

*P. S.:* Hacia fines de la década del setenta, yo también experimenté, en una declinación muy rousseauniana, la tentación de no retroceder. El resultado fue una especie de trabajo de arqueólogo, un trabajo interior que llevaba hacia la reconstrucción del psiquismo humano a partir de la «necesidad metafísica», para retomar la expresión de Schopenhauer. A partir de ese momento decidí en-

[1] Véase *Les territoires perdus de la République*, Mille et une nuits, bajo la dirección de Emmanuel Brenner, 2002, páginas 94-5.

vejecer violentamente. Comprendí que todos somos mucho más jóvenes. «Hijos de la patria», somos demasiado jóvenes. ¿Qué edad teníamos en 1968? Doscientos años: tal era la verdadera edad del radicalismo de izquierda. Somos radicales de izquierda desde la secesión de los jacobinos con la mayoría de la Asamblea Nacional, que a su vez se había declarado Nación. Hace dos siglos, seiscientas personas reunidas en una sala, en Versalles, decían: «Somos Francia, somos toda la Nación reunida». A partir de aquel momento, nosotros, los «buenos europeos», fuimos todos buenos radicales extremistas de izquierda, es decir, fuimos una minoría casi imperceptible que quería encarnar la verdad del Todo. Seguimos siendo demasiado jóvenes. Tener doscientos años en un mundo cuyos problemas, como Marx lo demostró muy bien, datan por lo menos del surgimiento de las sociedades de clases. . . Nuestra verdadera historia comienza hace no menos de tres mil o cuatro mil años. Es indispensable envejecer para comprender lo que sucede realmente en este mundo. En suma, a través de esta voluntad de envejecer sucumbí a la tentación del gran retorno. En ese momento me expuse a la influencia conjunta de Heidegger y del pensamiento oriental. Ella representa en verdad la gerontocracia absoluta, encarna la metafísica de la santa vejez. En la sociedad tradicional, como se sabe, los viejos son los verdaderos depositarios de la verdad. Ese gran retorno a la metafísica, ese gran retorno al monismo, ese gran retorno a la tentación del saber absoluto, de la iluminación y de la muerte en la totalidad, a todas esas categorías sublimes, me demostró que se puede, en cuanto intelectual contemporáneo, tratar de envejecer hasta un grado tal que uno se vuelve capaz de contar la historia de nuestra civilización como si fuera una autobiografía. Era también, por otra parte, el punto de vista de Goethe, en su famoso dicho:

*«Wer nicht von dreitausend Jahren*
*Sich weiß Rechenschaft zu geben,*
*Bleid im Dunkeln unerfahren,*
*Mag von Tag zu Tage leben».*[2]

(«Aquel que no sepa dar cuenta de tres mil años, que permanezca ignorante y en las tinieblas, que viva de la noche a la mañana».) Esto representa la forma suprema del historicismo alemán. Para resumir, fue en ese contexto donde me convertí en un académico militante. Después de todo, ¿acaso la antigua Europa no creó una institución anterior en cuatro siglos a la Iglesia cristiana, la Academia platónica, que aún puede ser invocada sin avergonzarse? De la misma manera en que usted reencontró la posibilidad de pronunciar las palabras «nosotros, los judíos», por mi parte, creo haber reencontrado la posibilidad de decir «nosotros, los portadores de la idea de la Academia». La Iglesia administra el misterio de Dios hecho hombre; la Academia —Kafka es el que nos lo recuerda— administra las verdades referidas a la hominización del mono.

---

[2] Johann Wolfgang von Goethe, *Der ost-westliche Diwan. Le Divan*, Gallimard, 1984, pág. 89, en la edición francesa [*Obras completas,* Madrid: Aguilar, 1991].

La antigua Academia constituía la creación de un espacio retirado en relación con la ciudad que la rodeaba, un espacio donde uno se dedicaba al estudio de los números y de las figuras geométricas puras, sin dejarse ganar por la vulgaridad, es decir, por la permanente agitación de la plaza del mercado. Un lugar descontaminado y sin violencia, es decir, un lugar donde la policía o los demagogos no tenían acceso. Esto justifica la soberbia inscripción que, según la leyenda, se encontraba en la entrada de la escuela de Platón: «Que los no matemáticos se abstengan de ingresar a este lugar»; los *ageometroí* eran aquellos que no entendían nada de matemática, los que no sabían calcular. Pienso que para nosotros es esencial defender y regenerar ese espacio donde reinaba, y donde aún debería reinar, el pacifismo académico. A mi juicio, el concepto de un refugio de la verdad representa la idea más importante que la antigua Europa haya sido capaz de concebir, y eso puede seguir siendo nuestra profesión de fe. De lo contrario, no se podría resistir a la generalizada infección del circo. El espacio académico, concebido en su significado original, es nuestra verdadera alotopía. En lo que respecta a las utopías, en la actualidad se habla poco de ellas. Por razones plausibles, todos los grandes criminales del siglo XX adhirieron a una utopía, pero a la alotopía hay que defenderla en voz alta.

*A. F.:* Esto me recuerda una entrevista que usted concedió hace unos diez años a un diario alemán, con el título «Der Halbmondmensch», «El hombre media luna».[3] Allí usted explicaba que la existencia humana siempre implica una dimensión de inexistencia, y que mientras una parte de nuestra voluntad se enfrenta con la realidad dura y clara, la otra permanece apartada, sumergida en la noche y en la ausencia. Su idea de la Academia me parece el equivalente cognitivo de esta ausencia.

*P. S.:* Justamente, el espacio íntimo forma parte de todo ese dominio nocturno. Es necesario volver a pensar la democracia a partir de la noche y de las funciones nocturnas. Un partido de los que duermen bien, un partido de los que tienen el sueño perturbado.

Nos falta el pacifismo de la noche. El día ha invadido la totalidad de las funciones humanas. Es preciso tratar de reencontrar espacios donde esa clase de agitación o esa clase de afecciones ya no sean eficaces. Es preciso tratar de volver a pensar la neutralidad, de volver a comprender lo que era el pacifismo académico de Platón. Esta paz académica volvió bajo una forma extraordinaria cuando, en la Edad Media, se reinventó la universidad. La policía urbana de París no tenía el derecho de acceso a la Sorbona; paradójicamente, una policía privada controla en la actualidad el acceso de los estudiantes. La fuerte extraterritorialidad de la universidad en relación con el poder es un hecho clave en la historia de las ideas europeas. Ahora bien, de allí en más fuimos inundados en todos

---

[3] «Der Halbmondmensch. Ein Gespräch mit Peter Sloterdijk», *Frankfurter Rundschau*, 25 de septiembre de 1993.

los campos: las empresas internacionales invadieron el espacio de investigación, los circos romanos se invistieron de Academia, los intelectuales se transformaron en gladiadores y en bufones. Sólo nos queda volver a pensar formas mediante las cuales sea posible un renacimiento de la civilización académica.

Quisiera comentar brevemente su alusión al modo de pensamiento del jacobinismo y la imposición de concebir al adversario bajo la forma del malvado. Dado que es una maniobra brutal y repelente, a pesar de todo es necesario ocultarla. ¿Y cómo se hace? Usted hablaba de demonios. El buen intelectual del período que siguió a la Segunda Guerra Mundial era una especie de demonólogo esclarecido. Incluso se llegó a desarrollar una demonología parlamentaria. En ese parlamento de los demonios que nos habitan, siempre hay una minoría fascista cuyas voces se dejan oír por nuestros oídos interiores. Yo mismo soy el parlamento, en mí reencuentro la resonancia de la totalidad de las opiniones. Cada opinión representa un demonio que habla. En tanto pueda controlar, en mi parlamento interior, a toda esta variedad de demonios, todo va bien. Ello presupone que el narcisismo democrático sea capaz de mantener el control del concepto demoníaco. Pero en el momento en que una real exterioridad hace su aparición, cuando el enemigo real entra en juego, todo el sistema sinfónico se derrumba. Uno se da cuenta entonces de que ya no es posible rechazar a los demonios integrándolos: de nuevo es preciso exteriorizarlos. Pienso que nos encontramos exactamente

en ese momento: esta hermosa y grandiosa construcción de una asamblea nacional de los demonios, en esta conciencia que antes se llamaba *fuero
interno*, ya no funciona. Y la realidad en las escue-
las, en los suburbios, con la aparición de los no integrados reales, con la aparición de un mundo musulmán que se resiste a nuestra psicología, refleja
ese estado.

Hemos llegado al fin de la época de la psicología
política. Hasta ahora, todos teníamos dos profesio-
nes: la nuestra y la de psicólogo. Hemos psicologi-
zado todo, incluso la política. De esta manera, hemos ejercido el trabajo de un intelectual clásico, es
decir, el trabajo de aquel que trata de entregar las
mejores explicaciones para las operaciones del colectivo. Vemos hoy el fin de la psicología: los demonios se transforman en adversarios reales. Con los
terroristas no se puede hacer sesiones de terapia
de grupo.

*A. F.:* Sueño, al igual que usted, con pasar de un
espacio al otro, pero temo que esta *alotopía* sea
hoy absolutamente *utópica*, dado que lo que está
cayendo en el olvido es la propia idea de extraterritorialidad.

Vea la nueva querella de la escuela en Francia.
Al referirse a los signos religiosos, ya no opone laicidad y religión, sino laicidad y laicidad. Los partidarios del velo islámico en la escuela no son menos
laicos que sus adversarios: lo son de otro modo. Lo
que reclaman no es, en ningún caso, la sumisión
de los espíritus a una instancia situada más allá
del mundo; es el alineamiento de la escuela con la

sociedad y la libertad que esta le da a cada cual de arreglar, cambiar y hacer alarde de la identidad que se le ocurra. Que el orden del espíritu esté separado del orden profano, y que la maduración por medio de los libros requiera especies de templos, monasterios o conventos, esas exigencias que antes definían la laicidad, les parecen hoy piadosas y vacías. Pretenden derribar los muros, abrir las puertas y que por fin sople el aire de la vida en los antiguos santuarios del estudio.

Con la misma sinceridad, con el mismo ardor, invocan la democracia para justificar el reino de la injuria y del sectarismo. Los cazadores de malvados reaccionarios pertenecen, en su mayoría, a esta escuela de pensamiento que el cumplimiento totalitario del deseo de la Revolución llevó a rehabilitar la *prosa* democrática. Frente a la monstruosidad del Pueblo-Uno, la democracia ha dejado de aparecer como el instrumento elegido por la burguesía para afirmar su dominio; se ha develado como un espacio abierto a la multiplicidad de las perspectivas o, según las palabras de Claude Lefort, como una formalización tal de la coexistencia humana, que ninguna opinión prevalezca por su naturaleza o por estatuto. Y, al mismo tiempo, esos enamorados de la confrontación de opiniones juzgan antidemocrática la oposición al ingreso de Turquía a la Unión Europea, si se toma en consideración una reciente entrevista televisiva entre Daniel Lindenberg, autor de los *Nouveaux réactionnaires*, y Edwy Plenel, jefe de redacción de *Le Monde*. El hecho mismo de que esa oposición, en vez de ser rechazada unánimemente, genere un «debate educado» demuestra, según ellos, la muy seria amenaza que pesa hoy sobre la democracia.

Por un lado, se jactan de ser lo suficientemente fuertes como para dar muestras de una incertidumbre radical, lo suficientemente maduros como para discutir de todo, lo suficientemente sabios como para instaurar sobre las ruinas de las ilusiones líricas una civilización humana argumentativa; por otro lado, surge la indignación de ver aparecer en Europa una discusión acerca de la definición del ser europeo, y se afirma con cierta ansiedad que si los nuevos reaccionarios no hubieran debilitado las defensas inmunitarias de nuestra sociedad, allí donde hubo *debate* habría surgido una *indignada protesta*. Porque la democracia, para esos vigilantes, no es simplemente una *forma* social; es también una *fuerza* que avanza, una dinámica, un proceso, aquello que Tocqueville, subyugado y aterrorizado, denominaba «irresistible desarrollo de la igualdad de condiciones». Pues bien, la segunda definición no completa la primera: la contradice. La forma es el despliegue de una intersubjetividad; la fuerza es la maduración de un Sujeto. La forma es la humanidad como conversación; la fuerza es la humanidad como individuo que accede progresivamente a sí mismo. La forma es dialógica; la fuerza, teleológica y asertiva. El propio nombre de «democracia» alberga la escatología triunfante y la prueba de la indeterminación, el conocimiento de los fines últimos y la apertura crítica a lo que advenga.

Los cazadores de reaccionarios invocan la forma pero eligen la fuerza. Como caballeros del proceso, como aceleradores del tiempo democrático, como representantes del *partido único de lo universal*, ocupan el espacio de la democracia. Impacientes por ver establecerse el mundo del reconocimiento consumado, mutuo e igualitario, viven bajo el doble régimen del escándalo y la evidencia. Escándalo de compartir con gente de aquí y de otra parte. Evidencia de lo semejante. Escándalo de la frontera. Evidencia de la mezcla o de la «*créolité*». Escándalo de la discriminación. Evidencia del matrimonio entre homosexuales, del velo islámico en la escuela, de la adhesión de Turquía a Europa. Escándalo de la idea de especificidad europea. Evidencia de la Europa de los derechos del hombre.

Los santuarios laicos son destruidos en nombre de la laicidad; y es la gloriosa revolución democrática la que asesta a la civilización humana argumentativa los golpes más duros. La aspiración a otro espacio que no sea la arena no tendrá pronto más palabras que decir.

*P. S.:* Creo que ahora estamos en el meollo del problema. Al introducir el elemento dinámico en el juego de la opinión, se comprende en verdad por qué, incluso en una época en que los asuntos del radicalismo de izquierda parecen ir mal, las actitudes pueden subsistir y seguir siendo tan operativas como antes; porque incluso bajo una forma mediocre y anónima, la dictadura moralizante y la necesidad de dar asentimiento automático a cualquier reivindicación de parte del progreso siguen estando en vigor. Aun sin auténticos radicales de izquierda, el clima permanece impregnado por ese automatismo. Ello demuestra que seguimos siendo prisioneros de un mecanismo que se instaló en ese movimiento de radicalización que experimentó la Revolución Francesa a comienzos de la década del noventa del siglo XVIII. En aquel momento se había instalado como forma política el irredentismo, que se ha mantenido hasta nuestros días. Transpuse el concepto italiano de la *Italia irredenta*, que proporcionó el concepto de irredentismo a los patriotas italianos, al movimiento de la izquierda en su totalidad. En su época, significaba que las demandas de los patriotas italianos no serían satisfechas mientras el gobierno austríaco estuviera presente en Italia. Pero toda la izquierda ha sido irredentista, en la medida en que seguía siendo siempre una revolución que había que volver a hacer. No existe ninguna situación en la cual la totalidad de la población pueda verdaderamente aprovechar las ventajas y las conquistas de la revolución anterior. La revolución sigue siendo, pues, un proyecto no cumplido, y por su propia naturaleza tiene una estructura irredentista. La no adhesión al reclamo de quienes quieren continuar la revolución es percibida automáticamente como pensamiento reaccionario.

Sin embargo, los verdaderos reaccionarios, según mi análisis, son aquellos que no han comprendido que, a pesar de todas las atrocidades de las que hemos sido testigos, el verdadero acontecimiento del siglo XX es el hecho de que la sociedad consiguió una proeza sin parangón: la abolición práctica de todos aquellos males contra los cuales se había rebelado la antigua izquierda —en el nivel físico, en el nivel moral, en el nivel de las discriminaciones—.

Es eso que muy bien demostró John Kenneth Galbraith en un libro titulado *Contentment*,[4] que no sé si es conocido en Francia. Es un libro notable, en el cual el autor propone una noción positiva y ofensiva de ese peligroso sentimiento de aquellos que están saturados mientras pretenden no estarlo. Dice: el hecho de estar satisfecho, el *contentment*, implica el rechazo violento del cambio y de la reforma. Y ahora es preciso dinamizar esta definición de *contentment*. Los nuevos reaccionarios son aquellos para quienes la lucha continúa. Es la razón por la cual la izquierda italiana de las décadas del sesenta y el setenta era la más clara y la más absurda del siglo XX. *Lotta continua:* con esta fórmula absoluta, uno quedaba dispensado incluso de decir cuál era la lucha que continuaba. Es la lucha eterna de una izquierda eterna, de un irredentismo eterno, de una actitud consistente en hacer reclamos hasta el infinito. La irrupción del infinitismo en el espacio político trajo aparejados esos desconciertos, porque invalidaba todos los criterios que permiten determinar si políticamente se ha alcanzado o no un objetivo. El desprecio de la primera revolución hizo que los segundos revolucionarios pudieran burlarse de todo lo demás. La idea del «nunca suficiente» se encuentra en el co-

---

[4] *La république des satisfaits: la culture du contentement aux États-Unis*, Seuil, 1993 [*La sociedad opulenta*, Barcelona: Ariel, 1992].

razón de todo radicalismo. Los partidarios de la segunda revolución *can get no satisfaction*. Juraban por la revolución permanente, que siempre está por ocurrir.

El manifiesto absurdo es que la revolución tuvo lugar, que las segundas revoluciones tuvieron asimismo lugar, que el proceso del capital mismo se convirtió en la revolución permanente en estado puro, y que el capitalismo y el trotskismo se fusionaron durante la segunda mitad del siglo XX: toda la *intelligentsia* radical de Occidente constituyó una gran coalición para producir falsas descripciones de la realidad en que vivimos. Por un lado, los verdaderos problemas no son debidamente considerados, de manera que se habla poco y nada de esta enorme crisis del sistema educativo. Por el contrario, a mi juicio, se habla demasiado del fenómeno de la nueva pobreza, dominio clásico de la izquierda eterna. Se practica una importación, a veces justificada pero a veces no, de las miserias de todos los rincones del mundo para sostener la presión miserabilista sobre el conjunto de la sociedad. Y todo eso, para no tener que participar en el verdadero cambio moral de nuestro tiempo, la *metanoia* referida a la naturaleza de la riqueza. La riqueza es el nuevo dato moral de nuestro mundo. «Riqueza obliga», como «nobleza obliga». Pero, ¿qué es lo que ocurre hoy? Todo el mundo oculta la riqueza y niega su existencia. Vivimos en la convicción de ser siempre y por siempre pobres. «No tenemos nada para dar», lo cual permite mantener la miseria de aquellos que se encuentran verdaderamente en la desolación.

*A. F.:* En 1948, harto y lastimado por la arrogancia de la *intelligentsia* hegeliano-marxista, Albert Camus escribía: «El demócrata es modesto. Confiesa una cierta parte de ignorancia, reconoce en parte el carácter aventurado de su esfuerzo y que no todo le es dado. Y a partir de esa confesión, reconoce que necesita consultar a los otros, completar lo que él sabe con lo que ellos saben».[5]

En 2003, el apóstol de la revolución democrática no consulta: *resuelve*. A la manera de sus antecesores jacobinos, estalinistas, trotskistas, maoístas o libertarios, hace caer los rayos del juicio final sobre todos aquellos que objetan la buena nueva emancipadora de la que él es portador. Es demasiado *humano*, demasiado sensible a todas las formas de discriminación, como para sentirse *falible*. Esto no es más que el comienzo. El combate continúa: ese campeón de la libertad, de la igualdad y de la ampliación ininterrumpida de los derechos del hombre traslada al *movimiento* de la sociedad la esperanza antes colocada en su *derrocamiento*. Con esa esperanza, le es dada la certeza sobre el buen fundamento de su posición y de la justicia de su causa. Como los progresistas y los compañeros de ruta a los cuales Camus oponía la modestia del demócrata, habita conjuntamente la región del Bien, defendiendo a los excluidos, y la de lo Verdadero, devolviéndoles los oráculos de la Historia. Para él, como para ellos, y como para Cimourdain, el sombrío personaje robespierrista de *El noventa*

[5] Albert Camus «La démocratie exercise de la modestie», en *Essais*, Gallimard, col. «Bibliothèque de la Pléiade», 1965, pág. 1582.

*y tres*, la política es *quirúrgica*: tiene «un enemigo, el viejo mundo, y no tiene piedad con él, así como un cirujano no tiene piedad frente a su enemigo, la gangrena».[6]

Por otra parte, he ahí por qué no se lo toma completamente desprevenido cuando se entera de que el conflicto de Oriente Medio de pronto se ha desplazado a África Oriental. «Israel atacado en Kenia»: ese título del periódico *Libération* habría debido provocar, sin embargo, estupor y terror. ¿Cómo un país puede ser atacado en otro país? ¿Cómo entender a ese habitante musulmán de la ciudad de Mombasa que declara tranquilamente que la muerte de un turista israelí nunca le hará verter una lágrima? Mientras se nos habla sin parar del fin de la Historia, ¿acaso hemos entrado en la era mucho menos atractiva del *fin de la geografía*? ¿La opción sionista de un lugar fijo ha sido un tajo de espada en el agua de la mundialización? ¿Israel es aún visualizado como nación territorial, o ya, y de nuevo, como *nación tentacular*? Estas preguntas no han surgido porque la opinión que habría debido planteárselas vive bajo la hipnosis totalizadora de la guerra de la humanidad contra sus enemigos. Esta idea inmodesta de la política ha sobrevivido a todas las mudanzas, a todos los desengaños, a todos los cambios de humor y de época. No es un alma perversa; es un alma habituada a la reducción enfática y compasiva de la pluralidad humana ante el impacto de dos fuerzas

[6] Victor Hugo, *Quatre-vingt-treize*, Gallimard, col. «Folio», 1979, pág. 294 [*El noventa y tres*, La Habana: Arte y Literatura, 1975].

que el nuevo reparto de cartas del terrorismo planetario ha integrado sin sobresaltos.

*P. S.:* No hemos abandonado nuestro tema. Proseguimos, en una continuidad perfecta, haciendo nuestro duelo por todas las mitologías de la modernidad. En efecto, ¿qué era la modernidad en su núcleo ontológico? Era decidir por el tiempo a expensas del espacio. ¿Qué es un moderno? Es alguien que confiesa que el espacio ya no cuenta, que todas las cuestiones de espacialidad son ficciones reaccionarias sobrevivientes que ya no pueden afectarnos, porque el espacio es la dimensión desvalorizada por la modernización. Ser moderno es sólo vivir en el tiempo y en las diferencias referidas al tiempo. La última diferencia que cuenta es el tiempo presente y el futuro. Soy un proyecto absoluto, participo en una empresa categórica, me modernizo al dividirme constantemente en un individuo que muere en el presente y que renace en su propio proyecto para mañana. En suma, la única dimensionalidad que nos conviene es una dimensionalidad temporal. El desprecio del espacio es uno de los rasgos constituyentes de los tiempos modernos, y la consecuencia de ello es el desprecio del concepto de frontera: las fronteras sólo sirven para ser transpuestas. Esto implica el perfecto desprecio del concepto de inmunidad. La inmunidad implica que se reconozcan las condiciones de posibilidad de una vida definida, en un cuerpo definido, en fronteras más o menos circunscriptas. Por lo tanto, todo catálogo de ideas que se consideren reaccionarias se reduce a la cuestión del sistema inmunitario biológico y del sistema de seguridad social. Son las dos grandes construcciones inmunitarias de las que todos vivimos. Resulta claro que en el nivel médico mi sistema inmunitario no puede ser reemplazado directamente por el suyo, y nuestro sistema de seguridad social no puede servirles directamente a aquellos que no han contribuido directamente a él. Es una verdad elemental, sobre la que se ha reflexionado muy poco en ese modernismo absoluto, que pretende que todos seamos emigrantes hacia la dimensión temporal de nuestra existencia: el hombre concebido como un ser que no habita, que no tiene vivienda, salvo alojamientos volátiles, cambiantes.

La mejor solución para la existencia moderna sería vivir en una caravana, es decir, en una síntesis entre el departamento y el vehículo. Esa es la ideología contemporánea fundamental: todos somos vehículos, buscamos un estacionamiento, pero no un país. No tenemos un sentido de pertenencia, porque la pertenencia es, otra vez, el fascismo. Siempre la misma letanía: el desprecio del espacio y de la espacialidad fundamental de la existencia humana recorre todos los estadios del conformismo radical. El desprecio de esta dimensión lleva directamente a toda una serie de actitudes coherentes, pero que tienen un efecto devastador en las condiciones positivas de la cultura y la civilización. Sin un elemento de territorialismo positivo, no hay posibilidad de desarrollar la cultura de la diferencia en sí misma. Sin punto de partida, no se puede partir. Y eso lleva a la cuestión que usted había planteado: los Estados-nación modernos ya

no son verdaderamente concebidos como territo-
rializaciones positivas, sino como lo que los alpi-
nistas llaman «campamento base». Es el campamento que se establece a cierta altura para continuar el ascenso hacia la cumbre.

Pero volvamos a su inquietud acerca de la ampliación del campo de combate en el Cercano
Oriente. A mi juicio, la solución sólo puede radicar
en una toma de conciencia de los israelíes acerca
de su verdadera fuerza. También ellos son víctimas de falsas representaciones de la realidad. En
tanto continúen con descripciones de sí mismos
que hagan referencia a su debilidad, esta interacción paranoica no se detendrá. Es preciso que Israel reconozca definitivamente su superioridad in-
quebrantable y total en relación con sus adversarios, excepto desde el punto de vista de la demografía, que representa un verdadero elemento de
riesgo. Pero una mayoría de desposeídos no significa un verdadero peligro para los israelíes. Es necesario salir de ese círculo de alucinaciones de peligro, comprobar el estado del armamento, el estado de superioridad mental y cultural. Si esto no se
lleva a cabo rápidamente, los terroristas lo logra-
rán, por el simple hecho de que se puede destruir a
un pueblo no ya en una cámara de gas, sino en una
cámara de miedo. Estoy convencido de que solamente el retorno a una política del coraje y de fuerza moral puede salvar al Estado de Israel. Eso tendría ciertamente una implicancia bastante trágica
y heroica: Israel debería renunciar, durante algunos años, al derecho de respuesta. Quien es más
fuerte puede y debe renunciar al derecho de res-

puesta si tiene la seria voluntad de salir de ese círculo infernal. No hay que hablar más del terrorismo; hay que destematizarlo. Es la última arma de la que disponemos. Hay que callarse acerca del terrorismo, porque quien habla de él en la primera plana de los periódicos nacionales no hace más que entrar en su juego. El terrorismo es la multiplicación de los actos de violencia puntuales mediante la propaganda del agredido. Es necesario interrumpir el circuito en ese momento y encontrar por ese medio una política de la fuerza moral. Esa fuerza es la única que puede salvar a Israel: no lo salvarán ni el apoyo de los norteamericanos, ni el apoyo de la diáspora, ni el apoyo de los europeos, ni el sentido de responsabilidad de los alemanes, etc. Incluso la gran coalición de todas esas fuerzas que apoyan la causa de los judíos no puede bastar para salvar a Israel. Si se puede disparar contra turistas israelíes en Nairobi, se puede sembrar el terror en todas partes del mundo. Solamente adoptando la actitud superior de la fuerza moral volverían los israelíes a ganar la posibilidad de hacer propuestas constructivas a socios palestinos que aún no han aprendido las reglas de la negociación civilizada. Esto supone que se les diría: no los atacaremos durante tres años, dejaremos de devolver golpe por golpe, aun luego de los atentados más atroces, y veremos qué es lo que esto produce. Dejaremos de construir muros y veremos si entienden esta oferta que les hacemos. La renuncia al derecho de respuesta se convertiría en un desafío político. Luego, les correspondería a los palestinos hacer la selección entre aquellos que quieren continuar sumidos en la miseria, en la falta de esperanza y de dignidad humana, entre aquellos que apuestan al odio y a todas sus consecuencias, por un lado, y aquellos que quieren cambiar su modo de existencia, por el otro. Y algo semejante sería válido acerca de Estados Unidos, que con su pretendida guerra contra el terror ha cometido un error espiritual mayúsculo —no un error político, sino un error espiritual—, presentándose al mismo tiempo como superpoderoso y supervíctima.

En suma, es preciso comenzar una profunda revisión de la categoría de víctima, de la que todos estamos impregnados, y volver a pensar el campo político en términos de una crítica de la razón victimológica. Corremos el riesgo de ser inundados por la peste de los resentimientos interminables. Si hay algo que me inquieta profundamente es esta pérdida del pacifismo del análisis del cual hablaba, que no es un pacifismo civil, sino un pacifismo de pensador.

*A. F.:* Tiene usted razón al llamar en contra del uso sistemático de la fuerza militar y en favor de una política de la fuerza moral. Hay que tener una concepción muy grosera de la virilidad para interpretar toda renuncia al derecho de respuesta y toda iniciativa unilateral de paz como una confesión de debilidad y cobardía. Al igual que usted, defiendo el coraje de la moderación. A veces, devolver golpe por golpe es disimular la pusilanimidad bajo la apariencia de la decisión y el coraje. El gobierno israelí no pondría en marcha sus divisiones pesadas, y tal vez correría el riesgo de interrumpir el *proceso de guerra*, si no temblara ante los extremistas de su propio campo.

De todos modos, subsiste el hecho de que frente a una hostilidad que apunta no sólo a su política de colonización, sino a su propio ser; frente a los perjuicios de una propaganda que lleva a millares de hombres, desde Bagdad hasta Islamabad, a ver por todas partes la mano del sionismo; frente a terroristas que declaran: «Nunca amarán la vida como nosotros amamos la muerte»; frente a los Estados alejados del campo de batalla que anuncian, orgullosos, que sus misiles pueden finalmente llegar a Tel-Aviv, los israelíes tienen todas las razones para sentirse, a pesar de su poder, a pesar de su armamento, débiles, vulnerables y desalentados. Los ciudadanos de origen polaco que hacen fila ante el Consulado de Polonia para obtener un pasaporte europeo no son víctimas de una alucinación. Son blancos lúcidos. Es una sencilla comprobación de la situación que los ha llevado a esta insostenible paradoja: cincuenta años después del nacimiento de Israel, pedir ayuda a Polonia. ¡A Polonia!

Pero, como ya hemos dicho, al fijar las cosas, la victimología también puede ser una ideología y, conjugada con el poder, puede tener efectos temibles. La sabiduría práctica debe luchar constantemente en dos frentes: contra lo angelical que olvida lo real y contra el realismo que olvida que nada está escrito. Nos corresponde a nosotros, «espectadores comprometidos», es decir, capaces de ponernos en el lugar de aquellos a los que juzgamos, ayudar a los israelíes a establecer la diferencia entre la necesidad del Estado de cumplir su misión fundadora —proteger a sus ciudadanos— y el encierro victimológico en el círculo de la violencia.

# VI. ¿Cómo se puede ser norteamericano?

*P. S.*: La función del miedo en la política es una problemática que los norteamericanos comparten con los árabes: ni unos ni otros experimentaron nunca en verdad la castración hobbesiana, es decir, la sumisión del orgullo salvaje del ciudadano a la soberanía del Estado. Unos y otros han rechazado depositar sus armas y, sobre todo, su alma heroica a la entrada del templo de la democracia. Llevan sus armas al templo, no quieren ser desarmados por el Estado, lo cual es, en un análisis hegeliano, una prueba muy clara de que el Estado no ha llegado a los respectivos países —más aún, de que no han concebido en un nivel profundo de sus psicologías políticas la existencia del Estado—. El hecho de que Cristo sólo haya llegado hasta Éboli es una nimiedad en relación con el hecho de que la idea de Estado no haya llegado aún a los árabes y a los norteamericanos, que por muy buenas razones, del orden de la psicología política, pueden entablar un duelo directo, como en un *western* político, que será uno de los elementos constitutivos de la interminable guerra mundial que cabe esperar. Sería absolutamente necesario aplicar el concepto de castración a la forma del sujeto democrático. Pero todo eso pertenece al porvenir.

La castración y la modestia forman una pareja impactante e incluso terrible: «¡modestia y castración!». Cuando se habla de modestia, es preciso interrogarse acerca de las fuentes de esta virtud poco probable. Y como los seres humanos no están necesariamente dotados de una modestia innata, es indispensable hallar fuentes heterogéneas. El sujeto moderno es precisamente aquel que acepta la castración simbólica o, más bien, técnica, porque deposita sus armas a la entrada del templo de la democracia, como los fieles depositan su calzado a la entrada de la mezquita. Es preciso depositar las armas y la arrogancia cuando se entra en el estado de civilización. En la medida en que se ha interiorizado la portación de armas —no olvidemos que tradicionalmente la virilidad era algo que se ejercía por la portación de un arma—, ese abandono no es un acto por completo inocuo. Se trata de una castración por contrato: ¿cómo deshacerse del orgullo, de las armas, del escudo, de todos los atributos que constituyen el motivo de una arrogancia, de una pretensión, de una voluntad de hacer valer las propias cualidades? Una vez que usted ha logrado franquear esa estrecha puerta, es recibido en el templo de la democracia.

*A. F.:* No hay que olvidar nunca que la modernidad política nació del baño de sangre de las guerras civiles religiosas. Ese trauma inaugural fue el que le dio a Hobbes el coraje filosófico para romper con toda una tradición caballeresca y erigir ese vil defecto despreciado —el miedo persistente— en pasión salvadora. Los hombres depositan las armas al entrar a un Estado —el Leviatán— que no es, por cierto, la democracia, pero que ya es, bajo la máscara del absolutismo, el Estado liberal, puesto que encuentra su razón de ser en la defensa del derecho a la vida de cada uno de sus integrantes, y no en el cumplimiento de la voluntad divina.

Sin embargo, seríamos injustos si redujéramos la modernidad a su dimensión hobbesiana. Los Tiempos modernos no responden a las virtudes guerreras tan sólo mediante la promoción burguesa de la conservación de sí mismo; también oponen, aunque con más brillo, el culto de los grandes hombres. Existe el miedo a la muerte violenta por mano extraña, y existe el «para los demás» de las inteligencias bienhechoras. Existen el *conatus* y el *humanitas*. Existen Hobbes y el Iluminismo. «Denomino "grandes hombres" —dice Voltaire— a aquellos que han sobresalido en lo útil y lo agradable. Los saqueadores de provincia no son más que héroes».

Este «más que» resulta presuntuoso y demuestra que, para los filósofos del siglo XVIII, no se trata en absoluto de poner la barra un poco más abajo, sino de abrir una nueva época de gloria, marcada por la supremacía de los valores pacíficos y los progresos de la civilización sobre el instinto belicoso. Gloria sin vanagloria, supremacía sin ostentación: mientras que el héroe va a caballo, el gran hombre es un peatón, un caminante «a la altura de sus contemporáneos, al mismo nivel que ellos». La inicial imaginería del Iluminismo se fascinaba con el contraste entre Fénelon interrogando como un buen padre a los campesinos que encontraba durante sus paseos y aquel «rey ecuestre y con armadura»[1] que había sido Luis XIV.

Somos los herederos y los beneficiarios de esta doble demolición del héroe. Ella nos hizo lo que somos. Le debemos nuestro bienestar. Es constitutiva de nuestra sensibilidad. Sin embargo, cuando se quiere hacer el inventario de los grandes hombres del siglo XX, los nombres que acuden espontáneamente a la memoria son los de héroes *a la antigua*. De Gaulle, Churchill, Sadat, Rabin tienen en común el hecho de que debieron enfrentar la guerra ya sea comprometiéndose en ella a pesar de la desproporción de fuerzas o tratando de ponerle fin con riesgo para sus propias vidas. Y luego están Jean Cavaillès, Marc Bloch y las grandes figuras de todos aquellos que no se doblegaron. Si el período histórico hubiera respondido a las esperanzas del Iluminismo, sólo se habría admirado su obra. Los sombríos tiempos de los que apenas salimos hacen que también honremos, e incluso más, su fuerza espiritual. Fénelon destronó a Luis XIV, pero, ¿quién destronará a Jean Moulin? Por más que queramos rendir las armas y la arrogancia, no depende de nuestra buena voluntad que tengamos o no enemigos. Por más que queramos repudiar el espíritu de conquista y combatir los malos demonios interiores que alimentan con furiosos fantasmas la desconfianza frente al Otro, no siempre el Otro es inocente; el indefenso y el oprimido no son los únicos que ocupan el campo de la alteridad,

---

[1] Jean-Claude Bonnet, *Naissance du Panthéon: essai sur le culte des grands hommes,* Fayard, 1998.

y no necesariamente hay una relación de causa a efecto entre la violencia que ejercemos y la hostilidad que encontramos. A pesar de Hobbes, a pesar de Voltaire, a pesar del cansancio de Europa y el aburguesamiento de las democracias, la antigua cuestión del heroísmo está aún ante nosotros.

*P. S.:* Me encanta esta comparación entre los héroes y los grandes hombres. Esto demuestra que una grandeza puede encubrir a otra y que el desafío de la cultura burguesa ha sido ganado en primera instancia al reemplazar la aristocracia heroica por una aristocracia burguesa o, más bien, ciudadana. En un primer momento, el espíritu de la ciudadanía nos proporcionó los medios para prescindir del heroísmo clásico, codificado de manera aristocrática. Y es cierto que uno de los grandes temas de los siglos XVIII y XIX fue el de saber cómo podía investirse el burgués en relación con la tragedia. En la tradición clásica, se excluía concebir al hombre pequeño, al burgués, como portador de un destino trágico. La pretensión de la tragedia aportaba una contribución importante a la simbología de un heroísmo burgués. Lo que para cada pensador del siglo XVIII habría debido ser de por sí una contradicción, se había convertido en un caso normal para todos los que los siguieron.

Veamos un ejemplo: uno de los grandes autores del siglo XVII alemán, Lessing, estuvo entre quienes demostraron que la facultad de vivir un destino trágico no les corresponde exclusivamente a los aristócratas (piénsese en la suerte de la pobre Emilia Galotti). Por otra parte, usted recordará a

103

aquel famoso Riccaut de La Marlinière, en la pieza de Lessing *Minna von Barnhelm*. Es la caricatura del cortesano, un ser ridículo, el hombre sin columna vertebral, un ser flexibilizado, como se diría hoy —un francés, para el caso, concebido para convertir en irrisorios a los cortesanos, pero también para refutar la pretensión de los aristócratas de conservar el monopolio de los valores heroicos—. Es preciso preguntarse cómo fue posible la conversión del burgués en sujeto heroico o trágico. Pienso que una buena respuesta sería más o menos la siguiente: se genera el acceso de la burguesía a los valores aristocráticos y heroicos introduciendo el motivo de la guerra del pueblo.

Democratizar la idea de la guerra fue uno de los grandes logros de la Revolución Francesa. La conversión del burgués en nuevo héroe se vio facilitada en gran medida por el fenómeno del servicio militar universal, y ese doble aspecto del ciudadano como burgués y como guerrero nos acompañó durante una decena de generaciones. Después de 1945, este vínculo prácticamente desapareció en Europa Central. Ya sólo se encontrará ese carácter guerrero galo en la periferia europea, y sólo sobrevivirá durante una generación más. Mientras la figura permanecía viva, era posible democratizar la pretensión de grandeza por medio de la idea del sacrificio. Todos aquellos que son capaces de llevar a cabo un acto de sacrificio o de participar en él —incluido el autosacrificio—, son necesariamente hipotéticos sujetos de heroísmo. El respeto por el gran hombre de ciencia no nos protege de la tentación del heroísmo ni de la veneración por los emisores de nuevos textos; la grandeza también representa la facultad de estar en el origen de una tradición, de una cadena de lectura que pasa a través del genio, y para nosotros la palabra «genio» significa literalmente la facultad de inaugurar una tradición de lectura.

Entre los grandes autores de la modernidad, a partir de los siglos XVII o XVIII, es preciso diferenciar entre quienes cooperaron en ese viraje trágico y los que sistemáticamente se acantonaron en una postura de grandeza civil. Entre los hombres cívicos intransigentes se encuentra nuestro gran clásico, Goethe, quien prefirió escribir poemas sobre Oriente mientras Napoleón sumergía a Europa. Considero que esta alternativa nos vuelve bajo una forma u otra en un momento en que el espectro de la guerra retorna, y con él, el heroísmo voluntario o involuntario.

*A. F.:* Con un celo admirable y un optimismo conmovedor, el Iluminismo preparó la sustitución de soldados por sabios y de asesinos por trabajadores. Victor Hugo era su figura cuando profetizaba, hace sólo ciento cincuenta años, el fin de las sorpresas y las catástrofes. La humanidad se aprestaba a «doblar el cabo de las tempestades»: reconciliada consigo misma, dueña de su destino, pronto ya no tendría necesidad de contar con ejércitos. El siglo XVIII había despejado el terreno; el siglo XIX era grande; situado en la cima de la Historia, el siglo XX pondría punto final a los acontecimientos y sería, por lo tanto, necesariamente soberbio, tranquilo, *feliz*.

Cuando menos se lo esperaba, llegó agosto de 1914 y las guerras en cadena. La esperanza de Victor Hugo resurgió después de la caída del comunismo, y como el anterior, el siglo XXI nació de su desmentida. La sorpresa y la catástrofe tomaron posesión de los lugares, de todos los lugares: el atentado del 11 de septiembre de 2001 le retiró súbitamente a Estados Unidos su estatuto de extraterritorialidad en el imaginario mundial. Hasta ese día funesto, Estados Unidos era como una instancia de apelación para los hombres enredados en la Historia. Si las cosas se ponían verdaderamente mal, quedaba ese recurso: todos éramos potenciales norteamericanos. Podíamos soñar con poner un océano entre la Historia hirsuta y nosotros. Y de pronto ese sueño se derrumba, y la Historia franquea el océano y golpea en el corazón de la ciudadela. Lo que había de inaudito en el «Somos todos norteamericanos», impreso en la primera plana de *Le Monde* el 12 de septiembre de 2001, no era el enunciado en sí mismo: era su conjugación. La brecha estaba cerrada: ya no se podía decir «seremos». El futuro hipotético dejaba el lugar a un insuperable presente omnipresente. A partir de entonces, todo era virtualmente objeto del «Somos todos». Para identificarse con lo que llegaba a Estados Unidos, era indispensable hacer el duelo de la excepción norteamericana.

*P. S.:* Al mismo tiempo, me pregunto si no es necesario ser absolutamente norteamericano en este asunto, norteamericano en un sentido preciso. En determinado momento de la Historia, los norteamericanos debieron intervenir verdaderamente en la guerra de los europeos. Era 1916 cuando Woodrow Wilson, durante su meditación nocturna en la Casa Blanca, oyó la voz que puso fin a la época del espléndido aislacionismo de Estados Unidos. Percibió una voz que le decía: Tú, presidente de Estados Unidos, es imprescindible que salves a las bestias europeas de ese furor guerrero que va a aniquilar no sólo toda su razón política, sino también toda su cultura. Por lo tanto, harás la guerra a la manera de un árbitro; pero no harás la guerra como tal, pues una guerra norteamericana no es una guerra simétrica: será la guerra del árbitro contra las partes. El juego de Estados Unidos es, pues, completamente diferente de todos los juegos marciales de la tradición. Mientras los norteamericanos pudieron mantener esa posición —la de tercer regimiento en un campo de batalla, Cruz Roja y guerrero al mismo tiempo—, en tanto esa actitud fue coherente, era necesario en verdad ser absolutamente norteamericano. Me pregunto en dónde puede haberse refugiado en la actualidad la virtud de ser norteamericano. Porque los propios norteamericanos están desaprendiendo el arte de ser norteamericanos. La ventaja de ser norteamericano residía en aprovechar conscientemente el hecho de no tener fronteras comunes con todas las bestias del mundo, encarnadas por las antiguas nacionalidades. Los norteamericanos podían poner en práctica las palabras de un actor de la Revolución Francesa, Anarchasis Cloots, quien llamaba a las naciones «antiguallas góticas destinadas a la desaparición». El concepto de *melting-pot* norteamericano era exactamente una proyección de esta ironía revolucionaria. Asumieron una actitud radicalmente posnacional, una posición que era prácticamente la aplicación del principio eclesiástico a una unión política entre los hombres. La unión de bautismo o la unión del espíritu son las dos maneras tradicionales de salir del naturalismo político. Era el caso de los norteamericanos en su época grandiosa, pues, en efecto, parecían haber inventado una sociedad pospolítica —por así decirlo—, porque la política sirve para hacer la guerra. Y ese grandioso aislamiento del continente norteamericano contenía en sí mismo la promesa de la incapacidad de luchar contra un vecino. Dado que no había verdadero vecino, no había nadie para hacerle la guerra. De pronto, la irrupción de vecinos se convierte en el acontecimiento más traumático para los norteamericanos: el enemigo llega bajo la máscara del visitante. El vecino hostil aparece como el turista, y el turista se convierte en una figura del mal. A partir de ahí, es preciso volver a pensar todos los conceptos europeos de pasaje entre el estado natural y el estado civilizado: el reemplazo de la guerra. Ese reemplazo pasa por los intercambios económicos y la competencia que representa el deporte moderno. La invención del deporte moderno es la segunda parte del proceso cultural que llamamos Renacimiento. El Renacimiento se puso en marcha en el siglo XV, pero su fase más dramática recién comenzó hacia fines del siglo XVII. En esa fecha, el Renacimiento ya no era solamente el Renacimiento de los filólogos y de los artistas: se convertía en el Renacimiento de los atletas. Lo cual nos proporciona la prueba de que tuvimos razón al llamar a ese proceso, en su totalidad, el Renacimiento de la Antigüedad. Porque reinventamos lo que constituía la mayor contribución de los griegos: el reemplazo de la guerra en serio, el reemplazo de la competencia real, el reemplazo de la virilidad política, por un sistema de agresión simbólica. La invención del atletismo era el acto civilizador en estado puro, dado que la «civilización» era entendida como la preponderancia generalizada de lo civil en relación con lo militar. Hoy en día, es preciso preguntarse qué ocurriría si la guerra volviera para reemplazar al atletismo o si los deportistas volvieran a convertirse en guerreros. Estoy seguro de que todavía no ha empezado a entenderse ese proceso, porque no es el heroísmo en su estado tradicional el que retorna, y la necesidad de combatir no es el retorno de la guerra de antes. Se trata de formas de violencia de las cuales resulta muy difícil decir si son verdaderamente guerras idénticas a las del pasado.

Hegel había comprendido que la guerra napoleónica ya no era la guerra de antes. Destacaba el aspecto civilizado de la guerra moderna, donde el odio entre los combatientes había desaparecido. A partir de entonces se participaba en una matanza entre unos y otros, pero sin rencor. Se mataba sin que intervinieran los afectos. Hegel distinguía en esa ausencia de afecto una prueba de civilización: matar sin resentimiento, dar muerte como se corta en dos un repollo o como se ingiere un vaso de agua. El encarnizamiento en el combate es impersonal y quienes luchan son funcionarios del Estado; en Hegel, el curso de la Historia no lleva solamente de la tiranía supersticiosa oriental a la democracia protestante occidental, sino también del heroísmo primitivo al dominio del funcionario de Estado. El funcionario de Estado era el fin de la Historia convertido en hombre. De esa manera, la Historia podía acabar. El funcionario quemaba todas sus energías privadas en el altar del servicio al Estado. Para designar a ese grupo que encarnaba la disolución en el interés universal, Hegel introdujo una expresión inhabitual en Alemania para describir a los funcionarios: hablaba del *allgemeiner Stand*, el Estado general.

¿Dónde nos hallamos? ¿Somos los ciudadanos que hemos recibido de la Historia o del Estado una notificación para la movilización, o somos locos incendiarios que respondemos a la provocación de otros locos?

*A. F.:* Estados Unidos no tenía ninguna frontera común con las necedades del mundo. Pero ese privilegio no resistió a la abolición de las fronteras por la tecnología. Nada está cerca, nada está lejos: reina la idea de la falta de distancia. Internet es el rostro sonriente de esta emancipación frente a la geografía; el terrorismo es su cara negra. En la era del terror planetario, en efecto, no tener vecino ya no protege de nada; Norteamérica se halla normalizada y nosotros somos, sean cuales fueren nuestros compromisos, los huérfanos de su promesa.

No implica, entonces, alinearnos con el imperio si dejamos que la piedad nos invada ante las imágenes de las torres ardiendo y de la gente que se arroja al vacío: implica llorar, al mismo tiempo, a los muertos norteamericanos y a la muerte de la trascendencia norteamericana. Asimismo, refrenar esta empatía con el pretexto de que Norteamérica es hiperpoderosa sería tan absurdo como olvidar esta hiperpotencia con el pretexto de que Norteamérica se ha vuelto vulnerable. Se trata de ambas cosas, y si hay razón para estar intranquilos es, precisamente, por el hecho de tal conjunción de lo frágil con lo invencible. Cuando el más fuerte es agredido, puede hacer de la fuerza un uso mucho menos razonable en la medida en que su agresor no tiene ejército y no vive en ningún sitio fijo. Puede creerse el único soberano, eximirse de las obligaciones que se les imponen a los otros Estados y formular imperativos en indicativo, tal como lo hace el presidente Bush, que comienza todas sus frases con un «*I expect*»; puede, finalmente, sucumbir a la desmesura al comprometerse en una política de *remodelación* del mundo, con desprecio de la diferencia, sin embargo fundamental, entre *acción* y *fabricación*.

Pero Europa, legítimamente inquieta ante la *hybris* norteamericana, sólo tiene para oponerle, a manera de responsabilidad por el mundo, el inmovilismo predicador. Cuando Libia, apoyada por el conjunto de los países africanos, se proclama candidata a la presidencia de la Comisión de los Derechos del Hombre de la ONU, Europa se abstiene a los efectos de no herir la susceptibilidad de los más desposeídos, y Libia es elegida. Lo que deriva del multilateralismo del cual se enorgullece la diplomacia europea no es más que la perpetua-

111

ción, incluso el agravamiento, de un *statu quo* detestable. Resulta difícil elegir entre la arrogancia vengativa del poder norteamericano y la pretensión sermoneadora de la Europa apática.

# VII. La democratización del lujo

*P. S.:* Sus últimas frases me han dejado la impresión de haber escuchado una oración fúnebre ante la tumba abierta de la filosofía de la Historia. Si el futuro ha perdido su último domicilio confiable... Por otra parte, esto me hace recordar aquel impresionante pasaje que Hegel consagró al fenómeno de las cruzadas en las famosas *Lecciones sobre filosofía de la historia universal*, para deducir el nacimiento del espíritu protestante a partir de la decepción de los cruzados ante la tumba vacía de Jerusalén.

El espíritu europeo —decía Hegel— se habría descubierto a sí mismo como interioridad infinita en el momento de su decepción definitiva. La búsqueda católica de lo absoluto bajo la forma de la exterioridad, así fuese el cuerpo santo, demostró ser un fracaso. La decepción se convierte así en el lugar de nacimiento de la Europa futura, tal como la conocemos. Los norteamericanos también están de vuelta de una cruzada moderna. Sin embargo, no vuelven poniendo en duda la idea de cruzada, sino que vuelven, por el contrario, para preparar la siguiente. No vieron que la tumba estaba vacía. Permítame recordarle la escena de una destitución europea: el último monarca de Europa en llevar una muy alta corona, el papa, la abandonó en el momento de la clausura del Concilio Vaticano II, en noviembre de 1964. Abandonó formalmente su corona, la tiara, en el altar que se encontraba en el centro de la gran sala del concilio, ante toda la Iglesia Católica reunida, y dijo que no llevaría nunca más el símbolo de su soberanía terrestre, aunque continuó llevando la mitra, por supuesto. A partir de aquel momento, ya no se vio la tiara, salvo en los documentos y en las estampillas postales del Vaticano.

Me pregunto qué podría hacer un presidente norteamericano para igualarse a nuestro papa. ¿Qué sombrero podría quitarse, qué clave podría entregar a sus compatriotas en la humanidad? ¿Debería entregar su *colt*?

Dicho esto, creo que por ahora es preciso seguir siendo totalmente norteamericano. La gran ventaja de los norteamericanos es, justamente, que no participaron en la «época de los extremos». Eric Hobsbawm, historiador británico de orientación marxista, fue quien acuñó esa fórmula tan sugestiva para resumir el siglo XX: *«age of extremes»*. Desde el punto de vista norteamericano, la fórmula resulta simplemente falsa. Para ellos, en el siglo XX no pasó nada, por lo menos nada irremediable; fue un siglo vacío, un siglo de tranquila acumulación de riquezas. El verdadero contenido del siglo XX, desde el punto de vista norteamericano, no fue la oscilación entre los extremos, sino la democratización del lujo y de la ilusión. Fue el principal proceso en el que nosotros, los europeos, participamos al convertirnos en buenos norteamericanos luego de 1945. Al norteamericanizarnos, renunciamos a nuestras propias ambiciones imperiales y a nuestro orgullo histórico, los abandonamos. Nos convertimos en norteamericanos *auf dem zweiten Bildungsweg*, por la vía de la recuperación. Aun malos alumnos como nosotros pudieron finalmente lograr el bachillerato poshistórico asumiendo la visión norteamericana del mundo, a saber: que el lujo es demasiado humano como para dejar de ofrecérselo a todos. En el corazón de la Declaración de los Derechos del Hombre siguen escuchándose todavía los ecos de otra declaración: la del derecho al lujo para todos los que estén dispuestos a convertirse en verdaderos norteamericanos.

En lo que me concierne, nunca renuncié a ser norteamericano. La democratización del lujo es la gran idea de nuestra época y representa, al mismo tiempo, la más hermosa continuidad del espíritu progresista de los europeos. Si no les hubiéramos permitido a los dirigentes del siglo XIX entregarse a las locuras totalitarias que aparecerían en el siglo XX, habríamos podido convertirnos en norteamericanos antes incluso que los propios norteamericanos o al mismo tiempo que ellos. La Revolución Francesa demoró la evolución económica del país, provocó una regresión en relación con lo que el *Ancien Régime* había preparado; Francia estaba en el umbral de una revolución totalmente diferente de la que en verdad tuvo lugar. De la misma manera, se podría decir que todas las locuras de los siglos XIX y XX demoraron la norteamericanización de Europa, que ya entonces llevábamos a cabo con los medios disponibles.

Si Estados Unidos entra en la Historia no es para transformarse en un país pobre. Para ellos, el narcisismo de la fórmula de vida en el lujo se combina, desde el 11 de septiembre, con el narcisismo de un país herido que, habiéndose creído invulnerable y rico, de pronto descubre que el lujo del estilo de vida y el lujo de la invulnerabilidad se excluyen mutuamente.

*A. F.:* Sus palabras me permiten aclarar mis sensaciones. El 11 de septiembre de 2001, no sólo me sentí solidario con los atacados porque el sentimiento de humanidad es, por definición, universal y porque, en un mundo a partir de entonces sin escapatoria, nadie está a salvo de la dolorida fraternidad del «Somos todos». Al sentirme norteamericano, también yo elegí el campo de la *democratización del lujo* contra quienes pretendían combatir el Poder. Así afloraba en mí la idea profundamente desestabilizadora de que *no siempre se tiene razón al rebelarse*. Ya sabía que el fin no justifica los medios, y veía entonces que se pueden tomar las armas y llegar hasta el límite de la violencia por fines injustificables. Me daba cuenta de que lo mejor de Occidente despertaba odios más feroces que su negrura o sus desigualdades. En suma, ya no estaba en condiciones de abandonar la cuestión del mal a la cuestión social. Mi educación europea me había enseñado a pensar la Historia como una reducción del fenómeno humano a la dialéctica del amo y el esclavo. Y he ahí que, bajo la forma de un atentado contra el sueño democrático, la propia Historia me enfrentaba con lo irreductible.

*P. S.:* Si transponemos la tragedia norteamericana al contexto de la civilización mundial venidera, lo primero que sería preciso decir es que hemos salido, de manera irrevocable, de la era del simbolismo. Aunque esto parezca algo cruel, es forzoso comprobar que se puede prescindir de un símbolo central que represente el modo de vida norteamericano y, más en general, de Occidente. Las construcciones no encarnan por entero nuestra manera de vivir. El error es de los agresores, al atacar algo que tomaron por un símbolo. Pues bien, la fuerza de Occidente reside en que puede reemplazar cualquier cosa por cualquier otra. Nos hemos lavado en todas las aguas del estructuralismo, hemos oído la lección de lo arbitrario del signo: ya nunca más caeremos en la trampa del simbolismo sin ambigüedad. Por esta razón, el descubrimiento que los norteamericanos han hecho de su vulnerabilidad en el nivel físico está acompañado del descubrimiento de una invulnerabilidad en el nivel simbólico. Si, por nuestra parte, atacáramos la Piedra Negra de la Meca, el campo de batalla sería el simbólico, sólo el simbólico, y el mundo islámico nunca se repondría. Nosotros podemos reconstruirlo todo. Daniel Libeskind, especialista en instituciones terapéuticas, luego de su Museo Judío de Berlín, propuso construir una torre de quinientos noventa metros de altura. Le habla al alma herida de la ciudad de Nueva York y a los norteamericanos para decirles: seguimos siendo libres constructores de nuestros símbolos.

Por el contrario, existe un campo no político, sino afectivo: el de quienes critican desde su base el proyecto norteamericano, que es la democratización del lujo. Hablo de todos aquellos que vienen publicando estudios desde la década de 1970, convencidos como están de que el *american way of life* conduce al desierto, que es un proyecto sin porvenir. Cabe recordar aquí el destacado libro *Limits to growth*. Por su inherente contradicción, el proyecto de democratizar el lujo es insostenible. En la actualidad se llega a las fronteras internas del proyecto. En el seno de Estados Unidos, la fragmentación de la sociedad se acentúa cada vez más: el contraste social entre los pobres y los ricos es ya brutal y se agiganta sin cesar, como si la miseria del Mundo Antiguo envolviera al Nuevo Mundo. Esto contribuye a que los norteamericanos regresen a la historia común de los pueblos. Pero sigue subsistiendo el hecho de que una Norteamérica no generosa es de por sí una contradicción. En el momento en que Norteamérica pierde su propia utopía, cuando reconoce que ha perdido la guerra contra la miseria en su propio país, eso significa que el proyecto ha terminado. Todo un continente volverá entonces a la vulgaridad de las sociedades de clases y a la dureza de corazón de los amos de antes. Los europeos estarán solos con su voluntad de quedar en la historia progresiva y de continuar la lucha contra el «miserabilismo».

*A. F.:* No creo que Estados Unidos haya perdido su utopía. La recuperó incluso allí donde no quería ir y donde nunca hubiese entrado si no lo hubieran arrastrado: en la arena. «*We have a mission*», dijo el 12 de septiembre un presidente norteamericano a la vez aturdido y envalentonado. Por cierto, sus mímicas y su retórica incitan, en cada una de sus apariciones, a preguntarse si está a la altura de la tarea que se asigna, por más texano que sea: esta no consiste en echar mano al petróleo para proteger el *american way of life*. La Norteamérica imperial es una Norteamérica idealista: si se da el caso de que deba presentarle a la comunidad internacional informes falsos, es únicamente a los efectos de quedar autorizada para corregir a los Estados que amenazan su seguridad y contrarían a sus empresas: es también para abatir a los tiranos y propagar su buena nueva. Norteamérica se siente mucho más inclinada a conjugar el gusto por el poder y la idea de su vocación emancipadora cuando finalmente tiene las manos libres: la Guerra Fría ha terminado, y con ella, la necesidad de apoyar a las dictaduras o los regímenes corruptos para ganarle la partida al comunismo.

Empero, hemos estado durante tanto tiempo acunados por la oposición canónica entre la derecha egoísta, codiciosa, crispada en la defensa del orden establecido, y la izquierda solidaria, generosa, rebelde, que en nuestro imaginario político no hay lugar para una derecha que sueñe con la liberación. Por lo demás, hacemos muy mal en criticar el idealismo en cuanto tal, es decir, la tentación de someter la realidad a un modelo previo, como si el mundo humano fuera un artefacto, y la política, una rama de la arquitectura.

Sin embargo, en vez de denunciar de nuevo el cinismo de los norteamericanos, se debería arriesgar la siguiente pregunta: ¿El Estados Unidos actual no es demasiado idealista e insuficientemente huntingtoniano?

Como precio por su éxito mundial, el libro de Samuel P. Huntington fue objeto de un contrasentido planetario. En efecto, en ninguna parte preconiza el choque de las civilizaciones. Ese *clash* no es su objetivo, sino su pesadilla. Al comprobar que las batallas entre las ideologías producidas por la civilización occidental tienden a ser suplantadas por el enfrentamiento de las religiones y las culturas, Huntington exhorta a Occidente a no intervenir en los asuntos de otras civilizaciones. «Esta regla de abstención —escribe solemnemente— es la primera condición de la paz en un mundo multipolar y multicivilizador».[1]

Condición lógica y, sin embargo, inaceptable, pues significa exigirle a Occidente que defienda sus valores, es decir, la igualdad de todos los hombres, sacrificando su universalidad.

Por el contrario, lo que tenemos derecho a esperar de los intervencionistas norteamericanos es que tengan en cuenta lo que Ernst Bloch llamaba «la no contemporaneidad de los contemporáneos», y no que les disputen a los progresistas de todos los países el monopolio de las buenas intenciones, con las que están cubiertos los caminos al infierno.

---

[1] Samuel P. Huntington, *Le choc des civilisations*, Odile Jacob, 1997, pág. 351 [*El choque de las civilizaciones y la reconfiguración del orden mundial*, Barcelona: Paidós, 2001].

# VIII. La ecología de la belleza

*A. F.:* Hago espontáneamente mío el programa norteamericano de democratización del lujo y sé, al mismo tiempo, que ese programa tiene un precio: la devastación del planeta. Al sueño que nos embarga, cuya fórmula usted ha enunciado, la ecología le opone la conciencia siempre más vívida de la amenaza: «La Tierra ya no bastará para la codicia. Lo "norteamericántropo" no es viable».[1] Los lugares, el cielo, la noche, el silencio están pidiendo clemencia y no tenemos derecho a olvidarlo. Es preciso poner límites al derroche. Es preciso *recortar los gastos*: Prometeo debe buscar imperativamente en sí mismo la fuerza y los recursos para limitarse.

Sin embargo, nosotros no tendremos oportunidad de encontrar esos recursos de la ascesis a menos que, en vez de pretender romper frontalmente con la perspectiva hechicera de la opulencia democratizada, percibamos todo lo que hay de lujo, de calma y de voluptuosidad en la naturaleza que nos empeñamos en desnaturalizar con una avidez insaciable.

[1] Michel Deguy, «Désir de révolution», *Lignes*, febrero de 2001, ed. Léo Scheer, pág. 53.

*P. S.:* Totalmente de acuerdo. El gran desafío de nuestro tiempo es inventar un derroche alternativo, sin devastación de la Tierra.

La democratización del lujo es la paradoja central de la modernidad. Occidente representa dos cosas al mismo tiempo: ante todo, un conglomerado político que se formó bajo la presión de la Guerra Fría y que constituía en su cima un campo militar e ideológico; luego, ese lugar del mundo donde la utopía de la democratización del lujo fue realizada en una medida asombrosa, tan asombrosa que el adversario, durante la Guerra Fría, adhirió a su vez a la misma utopía. El comunismo era la voluntad de reparto, pero no, por cierto, el reparto de lo que faltaba. No; se trataba del reparto de la abundancia. Esto es válido aunque los testimonios dan cuenta de historias que parecen demostrar lo contrario. La felicidad del comunismo consistía en una experiencia que se puede comparar con la de los religiosos en los monasterios. Si había una verdadera felicidad en el comunismo —ampliamente documentada, por otra parte—, ella consistía en el éxtasis de la miseria compartida. Recuerdo un texto impresionante de uno de los artistas más importantes de nuestra época, Ilya Kabakov, quien publicó algunos libros de conversaciones con Boris Groys, un inmigrante ruso de origen judío que vivía principalmente en Alemania y enseñaba filosofía y estética en Karlsruhe y en Nueva York. Kabakov contaba su historia rusa exactamente en los términos de esas paradojas. Por otra parte, se hizo célebre en Occidente en ocasión de la novena *Documenta*, de 1992, cuando expuso un objeto aparentemente macabro, que se titulaba *Toilette*, y que representaba el «alojamiento comunal», el lugar donde debía producirse el hombre soviético, el hombre nuevo. La miseria de esas *toilettes* habitables era la ilustración del camino soviético hacia el lujo compartido por todos. Esto prueba que el éxtasis de la miseria compartida constituía un paralelo exacto con el proyecto de Occidente de crear una sociedad basada en la omnipresencia de la abundancia.

Hoy, los Verdes deben responder a una cuestión que es todo un desafío: demuéstrennos que el pensamiento verde no es la prolongación de un resentimiento clerical-fascista contra la modernidad. En la esfera de influencia de los Verdes se encuentran muchas personas cuya biografía se caracteriza por un medio catolizante lleno de cierto rencor contra el experimentalismo de la vida moderna, acoplado a una simpatía por lo que la palabra *ordo* representa para los católicos. En Alemania, aunque el protestantismo político haya predominado —lo cual nos retrotrae, por otra parte, a la mentalidad norteamericana que usted acaba de comentar—, las redes católicas son muy poderosas y desembocan en una corriente contramoderna. El escepticismo surgido de ese medio hacia Estados Unidos es el rechazo de la dilapidación —por así decirlo, un puritanismo de sotana negra—. Por consiguiente, el catolicismo se acerca al puritanismo en su rechazo de la dilapidación y de las excesivas indulgencias.

Por mi parte, tengo el proyecto bastante ambicioso de reformular la antropología filosófica de

Plessner, de Gehlen, de Freud, etc., en términos de antropología del lujo. Quisiera demostrar que la propia naturaleza del hombre no es ni la carencia, como lo dicen Gehlen y Lacan, ni la «posicionalidad» excéntrica, como lo enseña Plessner, sino la abundancia. La ambigüedad humana estriba justamente en el hecho de que somos criaturas del lujo, eternamente estropeadas por nuestras madres: y, sí, la falta siempre es de las madres. ¡Buscad a la primera mujer! ¡Esta será por siempre la divisa de cualquier antropología juiciosa! Hablando seriamente, la expresión «indulgencia» significa que es necesario buscar el origen del lujo que nos impide para siempre, en cuanto seres humanos, convertirnos en adultos. Dicho esto, la política primaria, tal como la reformulamos en términos antropológicos, es precisamente la resistencia de muy escasos ejemplares del género humano que pretenden, en la edad adulta, oponerse a la conjura general de los no adultos. Se puede decir que la verdad oculta de la política no es la lucha de clases, sino la lucha de los adultos contra el infantilismo. Y si fuera necesario mencionar la debilidad fundamental del Iluminismo, esta sería la incapacidad total de los pedagogos modernos para darse cuenta de su propio papel en la lucha entre el progreso de la infantilización y el progreso del devenir adulto. El progreso es lo que está peor repartido en el mundo. He ahí por qué el Occidente rico ha hecho en nuestro tiempo un verdadero progreso en la dirección de una segunda era paleolítica, con un descenso radical de los índices de nacimientos y un aumento igualmente radical de los índices de indulgencias.

El niño superfluo, el niño que llega demasiado pronto, es aquel mediante el cual llega el mal a la «sociedad». El niño superfluo es el niño no justificable al nivel de una ecología de la indulgencia. Hay que reconocer que los medios de la indulgencia son muy limitados tanto en el nivel de la alimentación como en el de la ternura. Ahora bien: después de la revolución neolítica, con el excedente de una agricultura completamente nueva, las mujeres campesinas pudieron permitirse traer al mundo una veintena de hijos, de los cuales la mitad (en rigor) podía sobrevivir físicamente y sólo el último podía sobrevivir psicológicamente gracias al efecto «Benjamín». En las economías paleolíticas, una madre no se podía permitir más que un hijo cada cuatro o cinco años si no quería perder su *fitness* existencial. Eran las reglas del juego de la procreación, y eran muy duras.

El principio de indulgencia frente al único hijo en quien se podía verdaderamente hacer una inversión afectiva suficiente es el auténtico principio de realidad. Por otra parte, es también la razón por la cual en los ancianos no se advierte ningún rastro de complejo de Edipo, sino muchas pruebas de unos celos frenéticos entre hermanos y hermanas. El parricidio es una tentación bastante tardía y marginal. La historia del asesinato comienza con el deseo de aniquilar a aquel con el cual hay que compartir los muy escasos medios de indulgencia, es decir, las hermanas o los hermanos preferidos por la madre. No es por cierto muy delicado describir a las madres, o a las mujeres en general, como medios de indulgencia, pero no hay ningún otro medio de expresión. En alemán, «indulgencia» se dice *Verwöhnen*. La raíz de esta palabra es *wohnen*, «alojar, habitar», y *verwöhnen* quiere decir «habitar desarrollando malos hábitos». El mal hábito de los excesivos nacimientos acelera el Apocalipsis. Necesitaríamos un nuevo *katechon* para demorar la catástrofe demográfica. El concepto de *katechon* remite evidentemente a la idea de Carl Schmitt, según la cual el verdadero político tendría la tarea de diferir el fin.

*A. F.:* Es de San Pablo, en efecto, de quien Carl Schmitt toma la misteriosa figura del *katechon*. Hasta fecha reciente, esta fuerza que retrasa el final de los tiempos pudo simbolizar, con todo derecho, el espíritu de reacción. Pero ahora, cuando el poder del hombre amenaza con convertirse en una maldición para él y para lo que lo rodea, ¿se trata aún de cambiar el mundo, o de salvarlo; de realizar la utopía de la omnipotencia, o de reemplazar el imperativo prometeico de la superación perpetua por una ética del impedimento y la preocupación por la preservación de las cosas? ¿Qué hacer frente al crecimiento sin fin de nuestro poder de hacer? Esta inesperada e ineludible pregunta nos retrotrae, *nolens volens*, a la idea del *katechon*. Oigo ya la estridente protesta de los cazadores de canallas: «¡Pero Carl Schmitt era nazi! ¿Recurrir al concepto teológico-político de *katechon* no es volver atrás, volver la espalda a la emancipación, arrojar al bebé democrático junto con el agua sucia de las lluvias ácidas y de todas las manifestaciones inquietantes de la técnica desencadenada?».

La respuesta es «No», un «No» mucho más categórico que el Führer al que Carl Schmitt prestó ignominiosamente juramento, que no era en ningún caso un *Aufhalter* (la traducción de Lutero de *katechon*), sino un *Aufbrecher*, un revolucionario, un acelerador, un soltador de bridas, un destructor de todos los muros y de todos los obstáculos para el cumplimiento de lo que él creía ser su misión: llevar la Historia a su término. Carl Schmitt, pensador de los límites, cedió, al volverse nacionalsocialista, a la tentación del Apocalipsis y a las fiebres de lo ilimitado. Sería paradójico que criminalizáramos hoy el pensamiento de los límites para despegarnos de esta furia.

Estaríamos mejor inspirados si nos interrogáramos acerca de las contradicciones de la ecología política frente a la urgencia cada vez más imperiosa de la contención o la dilación. Los Verdes dicen que es indispensable salvar al mundo, y ellos son la vanguardia del combate para la ampliación indefinida de los derechos del hombre. Ahora bien: el mundo no se presenta ante quien tiene derecho como lo que es preciso administrar, sino como aquello que es natural reclamar. El «derecho a» ofrece el mundo al consumo y lo cierra al escrúpulo. El hombre de los derechos del hombre no impide nada: reconoce todo. Y ese patán del cual uno quisiera hacer un salvador se desentiende de lo que Hans Jonas llama el «principio responsabilidad» sobre esos avatares de las «doscientas familias» que son el imperio norteamericano, el G8 o la Organización Mundial de Comercio. Él busca culpables gubernamentales de la contaminación, de la canícula, de la devastación de la tierra y del cielo para continuar zumbando tranquilo y dejando en el aire sus gases de escape. Imputar el mal, por añadidura, a fuerzas conocidas, catalogadas, asignables, e investir así el universo objetivo de voluntades subjetivas, es perpetuar el fantasma de la omnipotencia y la denegación de los límites que se encuentran en el fundamento de la catástrofe ecológica.

Sin embargo, no por ello se trata de concebir la limitación indispensable en los términos puritanos de la privación (*privation*) o del corte. Al contrario, es el tecnocosmos el que nos priva de la belleza del mundo. «El oro de las retamas y la púrpura de los brazos ofrecían a mis ojos un lujo que me llegaba al corazón», le escribía espléndidamente Rousseau a Malesherbes. Por el contrario, nada hay más siniestro que un mundo producido, que estalla en detonaciones, expoliado por la luz artificial de la alternancia inmemorial del día y de la noche. Le corresponde a la ecología ser también, e incluso ante todo, una estética, es decir, la que reconcilie *Denken* y *Danken*, pensamiento y gratitud, haciéndonos entender que hay *don* o, para retomar su expresión, indulgencia en lo *dado* que se desdibuja.

*P. S.:* Usted ha devuelto muy bien la pelota. El don precede a la toma del poder y la verdadera inteligencia se define por un pequeño avance de la receptividad en relación con la productividad. En el fondo, el heideggerianismo sólo habla de eso. El secreto del éxito de Heidegger radica en haber encontrado fórmulas que superan al catolicismo al generalizarlo. Con esa clase de lenguaje se puede seducir o, más bien, invitar a la meditación a todos aquellos que han salido del catolicismo sin nunca desligarse por completo de él. El ateísmo siempre tiene el olor del monoteísmo que lo antecedió. Es la razón por la cual existe un ex monoteísmo católico, que se reconoce muy bien en el discurso heideggeriano, así como en cierto número de discursos ecológicos. Al lado de eso, existe un ateísmo judío que se ha transformado en toda clase de discursos sobre la alteridad, y un ateísmo protestante de la responsabilidad pura y del compromiso *sola fide*, que se reconoce sobre todo en el joven Heidegger, durante su período protestante. Se espera aún un ateísmo musulmán. Antes de su llegada, el ecumenismo sigue siendo una ilusión.

# IX. El enemigo y el criminal

*P. S.:* Quisiera volver sobre lo que usted decía durante nuestro primer encuentro acerca de su itinerario intelectual. Usted decía que «se había vuelto serio» merced a la relación con la enseñanza de Lévinas, el gran pensador del devenir responsable. Según Lévinas, sólo se puede comenzar con el error constitutivo, que hace que tomemos al otro demasiado a la ligera, como es el caso en el estadio erótico vulgar. El malentendido es la idea de que el otro está hecho para que se juegue con él. En el transcurso de nuestra entelequia moral, ese otro-juguete es reemplazado por otro con quien no se juega.

Acaso sea ese el resumen de un discurso que se prolonga en su reflexión. El propio Lévinas propuso un muy hermoso giro, que he leído recientemente en una edición alemana: «Toda mi filosofía —dice— se resume en una fórmula de cortesía, que es: "¡Después de usted, señor!"». Pero usted no sólo descubrió al Otro como un otro puro que lo desvela; usted descubrió al Otro como enemigo. Si no me equivoco, es un intruso en su universo intelectual, nadie lo había previsto y todo su pensamiento resulta impregnado por la conmoción que provoca esta aparición. El desarrollo de una concepción

tan radical, tan trágica, tan trascendente del enemigo, como la que creo haber oído en el transcurso
de nuestra conversación y de mi lectura de sus publicaciones, probablemente esté preparada por el
discurso de Lévinas acerca del otro, aun cuando el
de usted supera de manera decisiva la enseñanza
de este.

Me pregunto cómo se podría hacer un trabajo
de clarificación en torno a ese personaje extraño, a
esa figura del enemigo a la manera de Lévinas.
Mediante qué fenomenología, mediante qué hermenéutica del adversario, se podría pensar ese fenómeno que parece manifestarse desde hace algunas décadas: la llegada de ese Otro que comparte
el carácter no asimilable con el Otro de Lévinas.
Pero esta vez se trata del carácter no asimilable
del adversario que se escapa de una manera con la
que no se puede construir una teoría religiosa y cuya habilitación no lleva a la resignación frente a lo
absoluto. Usted la descifra como un llamado a las
armas. Hablamos de un Otro que puede producir
un efecto que ni siquiera el ministro de Defensa de
Francia podría provocar, pues si este enviara una
notificación de movilización que tuviera la dirección del remitente, usted la devolvería sin haberla
abierto. Usted ya no le permite a un ministro demócrata que lo movilice contra quien fuere. Parece
existir un emisor que ha asumido una parte de las
cualidades de lo absoluto, es decir, las cualidades
del provocador incondicional. Él, por su parte,
puede enviarle una notificación de movilización, y
usted sabe de inmediato que responderá a esa con-
vocatoria. He ahí una espina en la carne del pen-

samiento de nuestra generación. En cada década tuvimos que sacrificar un elemento suplementario de nuestra demanda de lo anodino. Después de 1968, se reclamaba un mundo donde lo anodino estuviera en el poder, y cada vez se comprende más que vamos a perder ese proceso. Lo no anodino, a su vez, ha comenzado a reclamar nuestra atención y nuestra concentración.

*A. F.:* ¿La Europa contemporánea ha tomado partido por Lévinas? En todo caso, cree haber encontrado con *el humanismo del otro* la fórmula de su rescate. Deja de ver en el Otro un enemigo, y en aquel al que se considera enemigo, porque es desconocido, raro, diferente, ver y celebrar al Otro: esa es la gran tarea del pensamiento contemporáneo. Al prejuicio, al desconocimiento, al miedo, al fantasma de la invasión, oponer solemnemente «el Otro, esta idea nueva». Es *el olvido del Otro* lo que ha llevado a lo peor, afirma la Europa expiatoria. Y para tener una buena medida de ese olvido, el deber de la memoria se aplica a *desnacionalizar* los grandes acontecimientos.

En el artículo «Vichy», de *Les lieux de mémoire*, de Pierre Nora, el historiador colaboracionista Philippe Burrin escribe lo siguiente: «Hoy, Vichy es mucho más recordado y denunciado por su política de represión y de persecución a individuos y minorías que por la firma del armisticio. De allí en adelante, la colaboración con el vencedor alemán afecta menos que la cooperación con el vencedor nazi. De algún modo, se pasó de un régimen culpable de lesionar a una persona colectiva, Francia, a un régimen culpable de lesionar los derechos del hombre».[1]

En otros términos, el deber de la memoria hace justicia a nombres propios y a entidades diferentes. Quedan los pronombres: yo, nosotros y el Otro, que ocupan el lugar de todos los otros. Pero, precisamente, la inmensa variedad de diferendos y discordias, ¿revierte al escenario único de la exclusión, del rechazo al Otro? ¿El odio al extranjero es la matriz única de todas las situaciones de hostilidad? No, por supuesto, y en especial no lo es en el episodio que sirve como ilustración a la moral del deber de la memoria. Los nazis no eran, por cierto, invasores comunes, sino que eran invasores, y mediante la ocupación lesionaban a Francia. Tomar las armas contra ellos era, pues, indisolublemente, defender una colectividad herida y los derechos del hombre, un territorio y principios, la patria, «esa cosa hermosa, preciosa y perecedera», según las palabras de Simone Weil, y esas *no-cosas* que son los valores universales.

En lo que se relaciona con las guerras actuales, la sensibilidad moldeada por el deber de la memoria tiene dos posibilidades: que lo que vea la lleve a pensar que el rechazo del Otro está allí igualmente compartido entre los protagonistas, y se mantenga desdeñosamente neutra, o que uno de los dos le parezca ser el Otro y reclame, indignada, la destrucción de sus destructores.

<hr />

[1] Philippe Burrin, «Vichy», en P. Nora (ed.), *Les lieux de mémoire*, III: *Les France*, 1: *Conflits et partages*, Gallimard, 1992, pág. 342.

La frustración ante ese sermoneo que sirve para todo y que en todo es falaz fue lo que me condujo a Carl Schmitt y a su cautivante reflexión sobre la manera en que el derecho público europeo supo, después de las guerras religiosas de aniquilamiento, disociar al enemigo y al criminal. *Aliud est hostis, aliud rebellis.*

Imbuida del Otro hasta olvidar su propia densidad, su propia territorialidad, Europa se jacta de haber terminado con el fantasma del enemigo. Junto con su justa causa, deroga, en realidad, la figura del *justus hostis* y resucita, bajo la forma del enemigo del Otro, la figura monstruosa del enemigo absoluto.

*P. S.:* Usted sabe muy bien que, en este asunto, invocar a Carl Schmitt tiene un precio. Para este, el concepto de enemigo tiene una implicación moral que la mayoría de quienes emplean esta noción no están dispuestos a asumir con él. Según Carl Schmitt, la aceptación de la existencia del enemigo lleva automáticamente al nivel de la reflexión moral y, más aún, al nivel de la reflexión jurídica, a la concepción del enemigo justo. Es la única manera de crear un espacio donde las partes en conflicto no traten al mismo tiempo de realzar su propia parcialidad y de incorporar la posición del árbitro en función de partidario.

Cuando se es partidario, guerrero o luchador en beneficio de una causa, es preciso admitir que existen ciertas simetrías con el adversario. La guerra clásica se caracterizaba por el reconocimiento de esta simetría. Ahora bien: la tentación moderna, a la que todos, en mayor o menor medida, hemos cedido, es la de abolir la noción de enemigo, es decir, la noción del enemigo justo, al que estoy vinculado por una relación trágica y reversible. Luego, estamos condenados a asumir el doble papel del árbitro que ve desde lo alto el campo de batalla y conduce la guerra. Creo que por medio de ese esquema de lectura se puede hacer una interpretación absolutamente pertinente de la mayoría de los conflictos a los que asistimos, en la medida en que estén involucrados países occidentales. Esto no se aplica a otros países, con excepción tal vez de Rusia, que en su guerra contra Chechenia invoca ahora la misma mística del combate. Se proclama la naturaleza no asimilable del adversario y esta declaración expresa una nueva fatalidad en la voluntad de ganar. La victoria se convierte en un deber moral a partir del momento en que el resultado de las luchas no se puede interpretar como un juicio de Dios. La posición divina está integrada a la manera en que los países occidentales hacen la guerra, y ello, hasta en la tecnología militar. Siempre hay un elemento de exterminio en nuestro modo de desarrollar un combate. Carl Schmitt pertenece, por cierto, a una época marcada por ese concepto bastante caballeresco del enemigo justo, al que se le concede el derecho a una alteridad de rostro hostil. Nosotros sólo conocemos ya una alteridad sonriente, el Otro sólo puede ser un amigo al que se lo confunde con un enemigo.

*A. F.:* El siglo XX se le presentaba a Carl Schmitt como la época del gran retorno de las guerras de aniquilamiento. Su demostración convincente es también de una mala fe que lleva a la confusión, pues nunca menciona la parte que le correspondió a Hitler en esa disociación fatal del derecho público europeo. Pues bien: fue Hitler quien, no conforme con alinear su manera de hacer política con el modelo totalitario de la guerra a muerte, destruyó en la guerra todas las leyes de la guerra. Su «*justa causa*» —salvar a la humanidad de los judíos— viciaba de nulidad a la propia noción de *justus hostis* y a toda herencia moderna de pacificación y civilización de los conflictos armados.

A la inversa de Carl Schmitt, que lo reprimía, Hitler nos atormenta, y es inevitable. No podemos apartar la mirada de esos doce años apocalípticos —1933-1945— que hicieron de la Europa civilizada el escenario del momento más bárbaro de la historia humana. Pero este obligado estupor es, asimismo, una alienación. Estamos indisociablemente habitados y embrutecidos por Hitler. Su monstruoso simplismo se perpetúa en nosotros bajo la forma invertida del simplismo moral. En una magnífica conferencia pronunciada en Atenas en 1955, Albert Camus distinguía la tragedia, donde las fuerzas que se enfrentan son legítimas, del melodrama, donde sólo una fuerza resulta legítima: «Antígona tiene razón, pero Creonte no está equivocado. Asimismo, Prometeo es a la vez justo e injusto, y Zeus, quien lo oprime sin piedad, también está en su derecho. La fórmula del melodrama sería, en suma: "Sólo esto es justo y justificable", y la fórmula trágica por excelencia: "Todos son justificables, nadie es justo". Por eso el coro de las tragedias antiguas siempre da consejos de prudencia, pues sabe que en cierta forma todos tienen razón, y que quien, por ceguera o pasión, ignore ese límite correrá hacia la catástrofe para hacer triunfar un derecho del cual cree ser el único poseedor».[2]

Pero he ahí que, ante el impacto de Hitler, el coro trágico enmudece: el maniqueísmo moral se esparce de nuevo, la vigilancia antinazi asegura el reino sin compartir el melodrama estúpido con los mejores espíritus. «Abandonados por lo trágico», como escribe Milan Kundera, ya no sabemos «liberar a los grandes conflictos humanos de la interpretación ingenua del combate entre el bien y el mal». Y Kundera cita como ejemplo una adaptación de *Antígona* montada en Praga poco después de la guerra: «Al matar lo trágico en la tragedia, su autor hizo de Creonte un malvado fascista enfrentado a una joven heroína de la libertad».[3] Ahora bien: no hay salida posible para la tragedia israelí-palestina sino en el sentido compartido de lo trágico, es decir, en la capacidad de hacer justicia al enemigo. Pero, en ambos bandos, Hitler vigila.

*P. S.:* Una salida es posible desde el momento en que se acepta la existencia del enemigo justo, pues a partir de entonces se tiene el criterio para distinguir al criminal del enemigo. De lo contrario,

---

[2] Albert Camus, «Sur l'avenir de la tragédie», en *Théâtre, récits, nouvelles*, Gallimard, col. «Bibliothèque de la Pléiade», 1962, pág. 1705.

[3] Milan Kundera, «Le théâtre de la mémoire», *Le Monde diplomatique*, mayo de 2003, pág. 28.

no se sale más. Me pregunto si las cuestiones que tratamos aquí no se anunciaban en la conciencia de los jóvenes que fuimos. Si recuerdo bien, antes de entrar al universo de la alteridad y del diálogo, ambos tuvimos, por cierto, una visión del mundo prefilosófica. Me pregunto si lo que acabamos de decir sobre Carl Schmitt no es de alguna manera un retorno a la conciencia prefilosófica, a una conciencia adolescente que existía antes aun que todas esas consideraciones.

¿Qué hacen los jóvenes? Son perfectamente conscientes del hecho de que la rivalidad domina en las aulas. Que en todas las aulas hay malvados y detestables a los que no se puede integrar. Ningún estudiante secundario intenta nunca comportarse de una manera terapéutica o moralizante con aquellos a los que no quiere. He ahí la pregunta que me planteo: ¿Qué es lo que redescubrimos en lo justo cuando redescubrimos lo trágico? ¿No es esto una segunda crueldad prefigurada en la crueldad de la juventud? Los jóvenes hacen la guerra sin saberlo. Son estrategas antes aún de conocer el concepto. Por otro lado, siempre existe una impasibilidad juvenil, fuente de crueldad y de filosofía. La neutralidad de los jóvenes es la observación en estado puro. Me pregunto si el filósofo no es alguien que conserva por siempre algo de esta reserva juvenil en relación con los dramas del mundo y que no abre nunca las notificaciones de movilización que nos envían la Historia, o los malos alumnos de la clase, o nuestros profesores.

Y todo este rodeo para plantearnos la pregunta: ¿Dónde encontramos las fuentes de nuestro ideal de un pacifismo académico, que no es el pacifismo de las almas bellas, sino el pacifismo del teórico que prefiere la teoría y la comprensión a todo lo demás? Sin ser idealistas, hay situaciones en las que preferimos la teoría a la vida. Es una elección nietzscheana, pues bajo la retórica brillante del elemento dionisíaco se oculta lo apolíneo más puro del siglo XIX. Nietzsche exhorta a una existencia que sería la unidad del ojo y la visión. Aunque entre en guerra, el observador sigue siendo más fuerte que el guerrero. Es una cuestión algo patética, lo confieso, pero quisiera probarme que la movilización por las inquietudes de nuestra época no nos lleva directamente hacia situaciones despreciables. Me defiendo, como puedo, contra el envenenamiento del espíritu de parcialidad.

¿Cómo definir la posibilidad de volver a ser un guerrero justo? El descubrimiento del enemigo, del enemigo justo, es ya lo suficientemente problemático. Pero hay un elemento de verdad en eso: ¿en qué te conviertes si aceptas esta provocación? ¿El teórico que hay en ti debe obedecer la notificación de movilización? ¿Quieres transformarte en el ideólogo de tal o cual causa? ¿Nos queda alguna posibilidad de no zozobrar en el pensamiento contagioso y sórdido del combate? En suma, se impone una investigación sobre la relación entre el pensamiento estratégico y su trascendencia. ¿Es necesario esperar a que también perdamos esta ilusión? ¿Es posible que entremos a una arena sin salida, que perdamos las ilusiones del joven que pretendía ser un observador justo del teatro de la existencia?

# X. ¿Adónde han ido los adultos?

*A. F.:* No detesto mi juventud, pero no sería mi conciencia adolescente, por cierto, aquello a lo que recurriría para hacer frente a las exigencias de la hora. El adolescente es el ser de la mirada clara, de la voz vibrante, del rostro grave, que sólo ve *escándalos* allí donde hay *problemas* o *dilemas*, y líneas rectas allí donde hay encrucijadas. Para él, a quien el egoísmo lo asquea, la política se confunde con la moral, y la propia moral se reduce al combate con el Dragón. Sin embargo, las situaciones reales surgen más a menudo de la alternativa corneliana que de la venganza del conde de Montecristo, y la moral no es difícil porque no opone al Bien y a la Bestia, sino que consiste, como dice Renaud Camus, en elegir o intentar una improbable síntesis entre un bien y otro bien. La democratización del lujo es un bien, pero al mismo tiempo lo es la preservación del mundo. La familia es un bien, así como la emancipación de las mujeres. El Estado benefactor y la cohesión nacional son bienes, pero la hospitalidad nos requiere igualmente. . . *¿A qué santo encomendarse?* ¿Qué hacer cuando el deber da órdenes contradictorias o surge de varios lados a la vez? La adolescencia huye de ese rompecabezas ético en la abstracción exaltada de un universo de reemplazo, donde todo el sufrimiento de los hombres es producto de la política de los malvados. Salir de la adolescencia es, pues, ya no tener necesidad de un sinvergüenza para encarnar la parte mala de la Historia: la gravedad juvenil deja lugar no a la frivolidad o al magisterio, por cierto, sino a la dificultad y a la pasión por comprender. Pasión que se manifiesta hasta en situaciones extremas: «Que el lector cierre aquí el libro si espera una acusación política —escribe Solzhenitsin en *El archipiélago Gulag*—. ¡Ah, si las cosas fueran tan simples, si en alguna parte hubiera hombres de alma negra que se entregaran pérfidamente a oscuras acciones, y si se tratara solamente de distinguirlos de los otros, y de suprimirlos! Pero la línea divisoria entre el bien y el mal pasa por el corazón de cada hombre. ¿Y quién destruiría un trozo de su propio corazón?».[1]

La voz estentórea de Solzhenitsin sacudía los cimientos del comunismo. Ahora que el comunismo ha caído, esta voz se halla encubierta, como la del antiguo coro, por el lirismo ensordecedor de las luchas «ciudadanas». Ya no hay casi nadie que les tienda una mano a los jóvenes para ayudarlos y hacerlos salir del melodrama. En Francia, sobre todo, se adoran las grandes antítesis de Hugo, pero se olvida la idea admirablemente desarrollada en *El hombre que ríe*, acerca de que «la complicación de los acontecimientos produce perplejidad de

[1] Alexandr Solzhenitsin, *L'archipel du Gulag,* Seuil, t. 1, 1974, págs. 127-8 [*Archipiélago Gulag, 1918-1956*, Barcelona: Tusquets, 1998].

espíritu» y que «la responsabilidad puede ser un laberinto».[2] Ya se vuelva hacia los profesores, los artistas, los periodistas o los filósofos, el adolescente contemporáneo no encuentra, salvo excepciones, más que a sí mismo, es decir, a la alergia frente a lo inextricable y al éxtasis de los compromisos binarios. «Europa envejece», comprueba la demografía. «Pero, ¿adónde han ido los adultos?», pregunta la antropología.

*P. S.:* La época de la razón sería finalmente la época de la complejidad. Complejidad tal vez sea el nombre epistemológico de lo trágico. Si usted habla del éxtasis de lo binario, esto designa el delirio creado por la simplificación abusiva. Dado que todos somos seres que habitamos en moradas construidas por el espíritu simplificador, necesitamos una reforma para transformar nuestra casa del Ser en el sentido de la complejidad, de la polivalencia y de la trascendencia de las alternativas simples. Sólo queda una cosa que resiste a nuestra voluntad de dar lugar a la complejidad: la figura del enemigo que no se integra en nuestro juego sofisticado. El enemigo, finalmente, es la simplificación con rostro humano, encarna la simplificación que se ha vuelto maldad. Si usted encuentra a su enemigo, encontrará al personaje que no acepta una parte razonable del peso del mundo, compartido según las reglas del *fair play*. «Cargar con el

---

[2] Victor Hugo, *L'homme qui rit*, LGF, col. «Classiques de poche», 2002, pág. 785 [*El hombre que ríe*, Buenos Aires: Sopena, 1944].

peso del mundo» es una muy hermosa fórmula que se halla en los reyes europeos renacentistas, más precisamente entre los emperadores de la casa de los Habsburgo. Les gustaba presentarse como sostenedores del planeta, como Atlas políticos: ¿qué es el político sino el que carga con el mayor peso? Cuando usted encuentra a alguien que ha decidido no compartir con usted el peso de la complejidad común, usted tiene enfrente al enemigo.

El enemigo sería el parásito de nuestro esfuerzo de construir más complejidad en el mundo. La simplificación parasitaria —tentación que acompaña a cualquier política—, incluso su simplificación armada, son manifestaciones sintomáticas: ¿cómo hacer frente a una simplificación que porta armas? Lévinas desarrolló un discurso apasionante sobre la escena primitiva de la moral, a la que describe como una toma de rehenes por un ser fuerte en contra de un ser débil. Esa toma de rehenes es pintada con un cierto romanticismo. Se tiene la impresión de que Lévinas habla de otro que se dirige a usted por la violencia, bajo el impulso de una necesidad existencial. Es una miseria que ha desaprendido el lenguaje de la demanda o de la plegaria: dirige a usted el arma de puño para imponerle su voluntad y, sin embargo, es siempre Dios quien se dirige a usted en el más secreto de los anonimatos. Pero si hablamos de un enemigo que supera aun la figura de ese Otro angustiado, se llega a la figura de un simplificador frívolo.

Esto corresponde más o menos a los retratos de los autores del atentado del 11 de septiembre. No eran personas que vivían en la miseria, no eran los

Otros de Lévinas. Encarnaban la simplificación en marcha.

*A. F.:* En efecto, resulta difícil superponer a la acción fanática y glacial de los terroristas la desnudez del rostro del Otro o lo que Lévinas llama su «exposición a quemarropa». Difícil, pero no imposible. La prueba: el pensamiento progresista, por un momento desconcertado, rápidamente imputó el crimen a su objetivo, la hiperpotencia norteamericana. Así, el terrorista seguía siendo el Otro y el proceso del imperialismo de lo Mismo podía proseguir sin obstáculos.

Toda la obra de Lévinas protesta contra esta petrificación de la alteridad: «Mi libertad no tiene la última palabra, no estoy solo», escribía. Pero el Otro tampoco tiene la última palabra, pues *no somos dos.* Desde el comienzo, repite Lévinas, está el tercero, y con él, el abandono de la última palabra en beneficio de un cuestionamiento perpetuo: ¿Quién le ha hecho qué a quién? ¿Cuál es mi prójimo? ¿Quién se adelanta a quién? «Debo emitir juicio allí donde primeramente debía establecer responsabilidades».[3] No basta con la abnegación. Es preciso desde la sabiduría hasta el amor. La sabiduría, es decir, el discernimiento, la aptitud para evaluar los asuntos inéditos y los casos singulares que surgen inevitablemente de las vicisitudes de la multiplicidad humana.

[3] Emmanuel Lévinas, *Entre nous: essais sur le penser-à-l'autre*, LGF, col. «Biblio Essais», 1991, pág. 114 [*Entre nosotros: ensayos para pensar en otro*, Valencia: Pre-Textos, 1991].

Para los actuales campeones del Otro no hay ni terceros ni cuartos. Lo que caracteriza a nuestra situación intelectual es la confiscación del pensamiento dual, de sus certezas inalterables y de su moral de hormigón sobre el concepto de alteridad.

*P. S.:* Se vuelve necesario un esfuerzo filosófico para reconstruir la figura del tercero, y quizá la del cuarto y el quinto, bajo la inspiración de Lévinas. Si es cierto que el amor no basta y que el duelo no es la forma plena de las relaciones sociales, es preciso poner el acento en la creación de instituciones que garanticen un tercero vigoroso. Al observar las transformaciones del campo intelectual, temo que los intelectuales comprometidos se lancen a una batalla en la que destruyan la autoridad del tercero neutral. Quieren tomar por asalto las cumbres de observación y transformarlas en puestos estratégicos. Justamente, a los intelectuales inspirados en Lévinas les resulta importante trabajar para que se restablezca ese neutralismo, verdadero compromiso de la filosofía para el no compromiso.

# XI. Oriente y Occidente, elementos de geopolítica

*P. S.:* ¿Cómo explicar esa pasión por el no compromiso? Una respuesta biográfica parece plausible, pero no es una buena respuesta para las cuestiones filosóficas. He dado algunos elementos para una biografía intelectual, sobre todo en la serie de conversaciones con Carlos Oliveira, entrevistas editadas en francés con el título *Essai d'intoxication volontaire.* Allí hablaba bastante extensamente del modo en que me impliqué en las aventuras del movimiento estudiantil de 1968 y de los años siguientes.

Fui la víctima clásica de una constelación conformada por ideas políticas en uno de sus polos y motivos terapéuticos en el otro. Si en el transcurso de ese siglo hubo una generación animada por la idea del hombre nuevo, luego de los experimentos de la Rusia revolucionaria, esa fue la generación de 1968. Los hombres nuevos éramos nosotros. Si se puede hablar de una coyuntura posutópica, probablemente se deba al hecho de que habíamos recorrido toda la secuencia de esas experiencias a partir de hipótesis antropológicas muy poco confiables. Para proseguir con ese divertido relato sobre el «terapeutismo» de toda una generación, con todas sus inspiraciones así como con sus exageraciones, es preciso hablar del viaje al Este, es decir, al Oriente de nuestros fantasmas metafísicos. No olvidemos que existen varios Orientes: el Oriente político y el Oriente intelectual. Hacia mediados de la década del setenta, me preguntaba, en cierta medida a la manera de los románticos alemanes del siglo XIX, ¿acaso lo esencial no se encuentra allí donde las cosas comienzan, en Oriente? Nadie había entendido que el Oriente encarna la dimensión del incesto ontológico. Si se apuesta a una regresión, se comete sin saberlo, en el plano espiritual, un equivalente del incesto en el nivel psicológico. En consecuencia, hay varias razones para tenerle miedo a Oriente, pero, para darse cuenta de modo explícito, probablemente sea preciso cometer el error de haberlo buscado. Recientemente mantuve una conversación con Rüdiger Safranski acerca del bloque asiático como dato principal de la geoestrategia mundial. Todos los grandes pensadores de la geopolítica sienten angustia ante esta gran masa terrestre que tenemos, por así decirlo, a nuestras espaldas. Carl Schmitt y luego Brzezinski retomaron ese motivo del complejo euroasiático como centro de gravitación de la política mundial. Muy pocos europeos son verdaderamente capaces y sienten deseos de mirar hacia Oriente. Safranski formuló una interpretación perturbadora: todas nuestras esperanzas políticas, todas nuestras ideas de los derechos del hombre, pueden desaparecer en ese imperio de la indiferencia.

En suma, no siempre se sabe qué significa volverse hacia Oriente. Esta problemática se me presentó recientemente, en ocasión de un viaje a China, donde pasé por primera vez algunos días en Hong Kong, Pekín y Shanghai. Las dimensiones de la realidad china me demostraron cuán incapaz de concebir ese universo extraño es nuestro orientalismo.

La cuestión de Oriente queda planteada. Cuanto más me preguntaba qué significaba en mi vida la búsqueda hindú, más me daba cuenta de que me occidentalizaba totalmente. La próxima vez que vaya a China o a India, probablemente llegue por el otro lado. Haré el recorrido en sentido inverso. Seguiré el curso del sol, puesto que la geopolítica del sol se ha convertido en la geopolítica a secas. Como buenos hegelianos que somos, ahora sabemos cuánto se le debe a la enseñanza de la rotación de la Tierra.

*A. F.:* Usted dice que vuelve a ser occidental. Pero, durante ese tiempo, ¿en qué se convierte Occidente? Acabo de leer en un diario que cuatro estudiantes checos se han inmolado en el fuego, como los bonzos vietnamitas, para protestar contra la guerra en Irak. Uno de esos jóvenes, apodado «el hombre antorcha», llevó a cabo su sacrificio suicida junto al memorial Jan Palach. Recuerdo la inmensa emoción que produjo el gesto de Palach, en 1968, luego de la invasión de las tropas del Pacto de Varsovia a Checoslovaquia. Recuerdo también que Milan Kundera fue, en esa época, el único que vio en aquel gesto no tanto la protesta sublime contra la ocupación de Praga, sino la horrible demostración del desarraigo, de la desoccidentalización de Bohemia. Y he aquí que, treinta y cinco años después, en una república checa devuelta a sí misma y a Occidente, inexplicablemente, Palach establecía jurisprudencia. Muy perturbado, el presidente Vaclav Klaus pidió a la nación que se pusiera fin a aquel mimetismo demencial.

Esto es, entonces, la mundialización: una exposición universal permanente, un supermercado planetario de bienes, servicios, tradiciones culinarias, pero también de religiones, sabidurías, culturas, comportamientos políticos. Afuera ya no hay otra cosa. Cualquier telespectador se siente como en casa y, junto a todos, en familia. Ninguna diferencia es suficientemente sustancial como para que no se la pueda apropiar. Asaltados por las imágenes, bombardeados con informaciones, solicitados por una plétora de modelos, en todas partes los individuos hacen sus compras ignorando las distancias y las fronteras. En lo sucesivo, incluso el terrorismo surge del turismo.

Pero, una vez hecha la reflexión, no es seguro que esta alocada imitación de un *modus moriendi* extraño sea completamente arbitraria. Quizás el suicidio de los estudiantes lleve hasta el paroxismo y el delirio el humor penitente de la Europa del «nunca más». Dado que el mal del que fue escenario también seguirá siendo, por los siglos de los siglos, un producto de su cultura, ¿acaso Europa *no inmoló su herencia en su construcción*? En el mismo momento, Estados Unidos (junto con Inglaterra) continúa abrevando en su pasado sus razones de ser y de actuar. ¿Esas dos disposiciones anímicas son conciliables? ¿O bien es preciso constatar que lo que queda de la comunidad transatlántica, es decir, de Occidente, en la era de la mundialización se fisura inexorablemente en dos bloques: la desvergüenza marcial, por un lado, y la exageración expiatoria, por el otro?

*P. S.:* El Atlántico, por su parte, retoma así su verdadero carácter separador. El milagro de la posguerra consistió en la capacidad de los norteamericanos y de los europeos para neutralizar ese abismo que existía físicamente desde siempre. Esto demuestra cuánta necesidad había, a ambos lados del océano, de una extraordinaria capacidad de negación de las distancias. Se vivía en un imaginario construido tanto por los europeos como por los norteamericanos frente a un Oriente concebido como una amenaza fatal para el resto de la humanidad. En el momento en que esta amenaza desaparecía, la unidad de Occidente se pudo permitir revelar su naturaleza más bien imaginaria. Hemos ingresado en una época más realista y más exigente que la anterior.

Usted hablaba hace un momento de esos actos terribles llevados a cabo por los estudiantes checos. Me recuerdan un acontecimiento similar, durante la primera guerra en Irak, del que los europeos nada supieron. En esos momentos me hallaba en Estados Unidos ejerciendo como profesor en el Bard College, institución académica de gran reputación, ubicada a unos cien kilómetros al norte de Nueva York. Un día estaba en Northampton cuando un estudiante se suicidó en el *green* de la ciudad, en pleno espacio verde, inmolándose como protesta contra la inmoralidad marcial de su país.

Recuerdo muy bien el horror que experimenté frente a las circunstancias de su muerte. Se había rociado con combustible, pero la cerilla no se encendía. Fue necesario que encendiera una segunda. Ese detalle me demostró lo que significa mantener una voluntad, sin que importe que otro ser humano se haya desalentado. La segunda cerilla demuestra que tener una idea fija es algo que aleja a un hombre del espacio humano compartido. Por añadidura, la inmolación mediante el fuego se nos presenta como un grotesco gesto oriental en el seno de la civilización occidental.

Reflexiono sobre la diferencia entre las regiones del mundo con una terminología a la vez metafísica y psicológica. Tengo la impresión de que el Occidente de la posguerra, sobre todo Europa, asumió un derecho de retorno a la inocencia después de la Segunda Guerra Mundial. El símbolo de Auschwitz no es más que un elemento de ese retorno, el cual implica necesariamente un elemento de profundo orientalismo, pues Oriente significa, en nuestros mapas imaginarios, que se puede entrar a un estado mental en el que aún no es necesario haber cometido crímenes —actos realistas— que sean constitutivos de una autoafirmación existencial y política que lleve forzosamente a la deshonra.

Nos encontramos en «la realidad» en el momento en que asumimos el peso del mundo en cuanto lugar del crimen. El lugar del mundo siempre corresponde finalmente, de una manera u otra, al lugar de un crimen más o menos generalizado. Ahora bien: los europeos encontraron el secreto de una cierta inocencia. La inmolación de la cual usted acaba de hablar parece demostrar que existe una profunda relación entre el nivel moral, donde se juega la búsqueda de la inocencia, y el nivel psicológico, donde se sitúa lo que los psicoanalistas llaman el masoquismo primario, es decir, la negación de la obligación de existir, el rechazo de todo lo que aniquila la homeostasis preexistencial.

El inconveniente de haber nacido reside en la necesidad de participar en la criminalidad de las grandes unidades culturales. Si esos actos de inmolación son tan reveladores, ello se debe a que contienen una proyección de la profundidad psicológica del colectivo. Los autores de esos actos reclaman el derecho de no pertenecer a un grupo comprometido. En esta cartografía imaginaria, Oriente representa la dimensión en la que el inconveniente de haber nacido todavía no ha desplegado todas sus implicaciones sórdidas. Occidente, por el contrario, es la dimensión de la culpabilidad, y de la contabilidad. La verdadera construcción de una torre babilónica se erige por la acumulación del pecado. Cuanto más estamos en Occidente, más erige torres nuestra culpabilidad. Parece que hubiera una relación entre la voluntad de erigir y la voluntad de integrar a todas las víctimas de todos los crímenes del pasado. Oriente, por el contrario, saborea la posibilidad de dejar que los muertos se deslicen hacia un anonimato absoluto y confortable, en el que en verdad nunca han llevado nombres propios.

No es una casualidad que los europeos, al reformular su proyecto histórico en el siglo XV, hubieran comenzado a soñar con las islas desiertas. En cuanto buen occidental, uno exige una isla simplemente para recomenzar. Las islas desiertas son el arquetipo de la utopía. Es el fantasma de la *tabula rasa* o bien el postulado del segundo comienzo. No se puede ser un buen representante de la civilización de Occidente sin compartir la exigencia de un segundo comienzo.

Hasta ahora, Estados Unidos, si se deja de lado su crisis posvietnamita, siempre fue la tierra prometida del segundo comienzo. También están por decepcionarnos desde el punto de vista de ese sueño. En el plano de una gramática geopolítica imaginaria, esto los acerca al fenómeno israelí, pues en Israel la segunda oportunidad del pueblo judío debía realizarse. Los unos y los otros han quedado atrapados por la realidad común y la criminalidad común. Por esta razón, el profundo amor que todos hemos experimentado por Estados Unidos en el siglo XX se evapora. Ese amor estaba motivado por el fantasma del segundo comienzo, fantasma que se asociaba también con la Unión Soviética en tanto las verdades aterradoras sobre el régimen estalinista se mantuvieron desconocidas para los simpatizantes. ¡Qué privilegio para los europeos haber vivido rodeados por dos grandes laboratorios civilizadores —uno en Occidente, el otro en Oriente—, donde se trataba de producir al hombre nuevo!

El laboratorio de Oriente fue cerrado hace una década. El otro, el de Occidente, todavía existe, pero la naturaleza de las experiencias que allí se realizan comienza a disgustarnos. No se encaminan en absoluto hacia un hombre regenerado, más inocente, más creador. Se tiene la impresión de que nos recuperan en nuestra calidad de antiguos sinvergüenzas.

Unas palabras finales sobre el otro polo de este acto público de autoinmolación: los europeos han descubierto, a través de su período colonialista y de dos guerras mundiales, que sólo les queda la opción moral entre inocencia y criminalidad. O bien caemos en un profundo masoquismo para acercarnos al polo de la inocencia, negándonos a nosotros mismos antes que cometer crímenes inseparables de nuestra consolidación en el escenario político mundial, o bien aceptamos la actitud de sadismo activista y la serenidad de los grandes criminales. Esa opción fue la que nos propuso Nietzsche. Para él, la inocencia del devenir es la inocencia de una criminalidad primordial que se expresa hoy mediante el sadismo planetario de los norteamericanos. El sadismo es inseparable de la capacidad de querer. Si usted desea querer, está condenado a ingresar en el reino del sadismo planetario. Por otra parte, son ideas inherentes a las reflexiones del Heidegger de la década del cuarenta, cuando hablaba de la gigantomaquia por tres que observaba entre los norteamericanos, los comunistas y los nacionalsocialistas. Según él, había un triatlón monstruoso entre los gigantes de su época que pretendían el dominio del mundo. Es posible imaginar a qué podría parecerse en nuestros días el comentario de Heidegger sobre el único poder mundial.

Después de 1945, los europeos fueron eliminados de la disputa final; los rusos, hombres nuevos de Oriente, fueron eliminados después de 1990. Sólo quedan los hombres nuevos del otro lado del Atlántico. La paradoja consiste en que, en el momento en que quedan solos en el escenario, abandonan toda pretensión de ser hombres nuevos. De pronto, adhieren a un hobbesianismo archieuropeo. Se jactan de un realismo consumado al pretender que son el único pueblo políticamente adulto del planeta. Nuestro amigo Robert Kagan[1] sólo habla de la diferencia entre los adultos de Washington y los niños de Bruselas.

*A. F.:* Todo se trastoca, es cierto; después de haber sido percibidos como niños grandes por los europeos curtidos en pruebas, los norteamericanos juzgan, a su vez, a la Europa como irenista e ingenua. Si se les cree, el candor cambió de campo. Pero no han renunciado a encarnar un *novus ordo sæculorum* porque se nieguen, invocando a Hobbes, a desconectar la política del poder. Al llevar su tierra prometida a la condición común, la explosión del 11 de septiembre puso en evidencia lo que creen que es su elección o su «destino manifiesto». Convertidos en vulnerables a semejanza de todos, simultáneamente sintieron que se volvían excepcionales. El mandato que la Providencia les otorgó a los norteamericanos tuvo algo así como una confirmación en el acto monstruoso que los golpeaba. Y ese mesianismo les fue reprochado muy violen-

---

[1] Autor de *La puissance et la faiblesse,* Plon, 2003 [*Poder y debilidad: Estados Unidos y Europa en el nuevo orden mundial*, Madrid: Taurus, 2003].

tamente. Mucho se habló en Francia, en Europa, y también entre los numerosos detractores norteamericanos de la política norteamericana, de que un mismo «fuego sagrado» consumía a los fundamentalistas occidentales que lanzaban misiles y a los locos de Dios poseedores de bombas. Innumerables editoriales trazaron un signo de equivalencia entre la *jihad* de los unos y la *cruzada* de los otros. Comparto el apego de esos comentaristas a la separación de los órdenes, soy celoso como ellos de la independencia del Estado y de la sociedad en relación con la Iglesia, pero rechazo su analogía vindicativa, pues esta descansa en el olvido de la ambivalencia que caracteriza a los conceptos de secularización o de laicidad. La ruptura moderna con la tradición devota y con la autoridad del más allá puede ser entendida, efectivamente, de dos maneras: o bien como la liquidación pura y simple de la religión o su retiro a la esfera privada, o bien como el reciclaje o el traslado de las concepciones religiosas hacia aquí abajo, a la historia puramente humana.

Evidentemente, la actitud norteamericana surge de ese traslado, y no de algún ignoto retorno de la teocracia o de una incapacidad persistente para saltearse el Iluminismo. El Estados Unidos contemporáneo ya no se muestra hostil a la secularización como cuando el general De Gaulle, bajo la influencia de Michelet y de Péguy, se hacía *una cierta idea de Francia*. Esta idea no surgía de un mundo sometido al cristianismo ni de un mundo emancipado de él, sino, precisamente, de un mundo cristiano *secularizado*. Asimismo, si hay una cruzada norteamericana, es como en 1917 y 1941, en el sentido de la defensa y propagación de las cuatro libertades cuyo listado Roosevelt establecía en un discurso célebre: el derecho a ser liberado de la necesidad, el derecho a ser liberado del miedo, la libertad de expresión y la libertad de culto. La libertad de culto, es decir, exactamente lo contrario de la *jihad*. La cruzada norteamericana tiene todos los defectos del mundo, pero no es una guerra santa: la misión divina de la que Estados Unidos se considera investido consiste, paradójicamente, en liberar a la humanidad de toda empresa de lo divino en nombre del derecho de cada ser humano a la autonomía. «Los hombres han comenzado a sufrir en la esperanza. Por eso hablamos de una era cristiana», escribía Léon Bloy. Se puede pensar que esa era todavía no está cerrada; pero excluir de esta esperanza el deseo de no vivir ya bajo tutela y de actuar libremente no significa otra cosa que mentir.

Queda por saber si ese deseo es universalmente compartido o si es indebidamente proyectado en toda la tierra por una Norteamérica demasiado prendada de sus logros y de su misión como para tomar en consideración lo que no sea ella misma. Norteamérica sueña, sin duda, cuando confía a la fuerza militar la inquietud de expandir su modelo de desarrollo político y económico, pero Europa también sueña cuando cree poder universalizar sin violencia alguna la decisión tomada por sus pueblos de compartir un porvenir pacífico basado en valores comunes. Al unilateralismo sonámbulo de una Norteamérica sin rivales, Europa opone las virtudes de un mundo multipolar, como si ese mundo fuera virtuoso, como si la política de pequeños pasos, de la negociación y de las incitaciones que maravillaba en Bruselas proveyera un paradigma inmediatamente operativo para todos los conflictos, para todas las crisis. En su ensayo *La puissance et la faiblesse*, Robert Kagan observa con toda razón que «uno de los temas de desacuerdo transatlántico más destacados desde el final de la Guerra Fría tiene que ver con la identificación de las nuevas amenazas. Para las administraciones norteamericanas, la primera de las prioridades está constituida por los denominados "Estados delincuentes", a los que el presidente George W. Bush calificó hace un año como el "eje del mal". La mayoría de los europeos han encarado más serenamente los riesgos planteados por esos regímenes. Como lo dijo alguna vez un funcionario francés, "el verdadero problema es el de los Estados en quiebra, no el de los Estados delincuentes"».[2]

A un Estado delincuente se lo puede combatir. A un Estado en bancarrota se lo puede arreglar. El primero es peligroso; el segundo, miserable. Hay algo de quimérico y, por lo tanto, de preocupante en la alianza norteamericana entre el realismo del poder y el idealismo del contagio democrático. Pero también hay una gran cuota de ilusión en la neutralización europea de la política por la economía. Unos viven su sueño; los otros viven en la mentira. Es probable que Norteamérica no sepa dónde pone los pies, pero Europa no quiere ver el

[2] *Ibid.*, págs. 50-1.

mundo en el que se encuentra. Para decirlo de otra manera: en lugar de enfrentar la complejidad del mundo, Europa responde *hablando mucho y haciendo poco* a una Norteamérica *que se contenta con actos*.

# XII. Entre sueño y mentira

*P. S.:* Se diría que es una curiosa posición entre dos mentiras.

*A. F.:* Entre sueño y mentira. Los norteamericanos no mienten: sueñan... Europa se conforma con palabras porque hay una realidad del mundo que no quiere ver. Norteamérica mira las cosas de frente. Pero quizá sea conformarse con acciones el hecho de contar con la fuerza de las armas para difundir la idea democrática. El despertar amenaza con ser brutal y, según una conocida jurisprudencia, con llevar a Estados Unidos no a un ejercicio más inteligente de sus responsabilidades mundiales, sino al aislacionismo.

*P. S.:* Permítame agregar un breve comentario sobre la noción de cruzada y sobre esa falsa simetría entre dos fundamentalismos que a veces se cree descifrar en el enfrentamiento de los norteamericanos con los fundamentalismos orientales.

Su análisis es totalmente pertinente: el fundamentalismo norteamericano no es del mismo orden que el fundamentalismo profesado por cierto islam para enfrentar el expansionismo de la civilización tecnológica occidental.

En las *Lecciones sobre filosofía de la historia universal* hay un pasaje donde Hegel habla del nacimiento de la Europa moderna a partir de la decepción oriental. Es una decepción que los europeos contrajeron en Jerusalén. Del mismo modo que se contrae el sida aquí o allá, se contrae una decepción metafísica en Palestina.

Para demostrar que el catolicismo está destinado al fracaso, Hegel presenta una pequeña teoría de la cruzada: según él, la cruzada es el pasaje necesario desde la posición de la conciencia alienada en favor de un cielo imaginario hacia la posición moderna y protestante, basada en el descubrimiento de la subjetividad infinita, en un argumento casi feuerbachiano: la idea de que el hombre ha dilapidado sus riquezas en aras de un cielo ficticio. En el transcurso de una cruzada por Tierra Santa, pasó frente a la tumba vacía de Dios y recogió la decepción necesaria para el protestantismo. Ante la tumba vacía, uno se convertía en un europeo moderno.

En la geopolítica metafísica de los europeos, la necesidad de despojar a Palestina era urgente. En nuestra cartografía interior, era el lugar que se necesitaba a cualquier precio. Sin la posesión de Jerusalén, la decepción no era suficiente como para producir protestantes. Sin decepción iniciática no había protestantismo y sin protestantismo no había conciencia moderna. La modernidad es estar iluminado por la riqueza interior y ser capaz de ponerse en la posición de la libertad absoluta. En tanto no se está lo suficientemente decepcionado, se permanece en la ingenuidad católica, que busca a Dios en la exterioridad, en el culto, en el dogmatismo.

En esta reflexión fenomenológica, la cruzada constituye una lección que no debe faltar en el currículum del espíritu occidental. Lo mismo vale para el terror, según ese pensador intrépido que era Hegel. No se puede llegar a ser un buen ciudadano en la comunidad de espíritus etéreos y burgueses si no se ha hecho el bachillerato en terrorismo. Es tan sólo un estadio de la conciencia alienada: el abismo del protestantismo político, que es el jacobinismo surgido del absolutismo de la voluntad desatada, rompió con la realidad exterior, pero aún no ha comprendido la necesidad de la encarnación de la ley en las instituciones del Estado de derecho. La conciencia preestatal debe pasar por un cursillo de terrorismo. En ese momento sólo existe una especie de autodidactismo terrorista, un terrorismo inherente al currículum europeo que lleva al Estado-nación. Es, por otra parte, lo que nos preocupa hoy en día: se tiene la impresión de que el terrorismo con que nos enfrentamos no forma parte de una secuencia de aprendizaje, no es un terrorismo hegeliano o mefistofélico. Nos preocupa por su carácter irrecuperable; no representa el último paso antes del estatismo: es un terrorismo desordenado, no sublimado, que lleva a todas partes y a ninguna.

En lo que se relaciona con los norteamericanos, su interpretación de la cruzada los sumerge en una especie de segundo catolicismo; tipológicamente hablando, se posicionan en una corriente católica, en un catolicismo protestante. Pero, al mismo tiempo, sus guerras son metacruzadas, cruzadas para ya no tener que emprender cruzadas. Se da esta asimetría profunda entre un fundamentalismo sustancial y un fundamentalismo esclarecido.

Entre europeos y norteamericanos se ha desencadenado una lucha por la redefinición de la facultad de actuar. En nuestros días, los europeos se jactan de su debilidad, como San Pablo, porque están seguros de que en la actitud del débil hay sabiduría. De cualquier manera, no se trata de una debilidad totalmente despojada, sino de una debilidad impregnada de una fuerza inicial. Al mismo tiempo, en Occidente se reparte el trabajo sin respetar siempre las reglas del *fair-play*. Concedemos humildemente a los norteamericanos el privilegio de cumplir con las tareas sórdidas, mientras salvaguardamos el alma.

El papel de un intelectual europeo consiste hoy en brindar las mejores explicaciones de lo que hacen los norteamericanos. ¿Por qué es necesario, en el mundo actual, que exista un Leviatán histérico? El símbolo hobbesiano caracteriza la situación de los norteamericanos: ellos son el Leviatán, por su gran poder; y son histéricos por la conciencia de una debilidad insuperable.

En ese contexto, es indispensable fortalecer la posición del observador que invoca el privilegio de la neutralidad. Lo neutro tiene que hallarse en la estabilidad de su posición. La distancia del tercero necesita garantías culturales. No se trata de la neutralidad de la Cruz Roja, sino de la neutralidad fuerte de la teoría. Se requiere una ética de los no combatientes capaces de observar el campo de batalla.

La adhesión afirmativa a un grupo está siempre ligada a un acto que provoca la guerra o que tarde o temprano invita a ella. La identificación con un grupo de civilización o con un pueblo cultural implica en todos los casos la adhesión a un sadismo virtual.

El concepto de una metacruzada de la civilización refleja la idea más profunda de Europa, una idea cedida después de 1945 a los norteamericanos, que se creen paladines de ella. Libre opción de culto, exportación entusiasta de las ideas de los derechos del hombre, exportación masiva del concepto de Estado-nación: mediante todas estas opciones arraigadas en Europa surge el compromiso con cierto expansionismo de lo justo, de la misma manera que por medio de la técnica occidental se propaga el expansionismo de lo útil y de lo eficaz. Lo justo, lo útil y lo eficaz serían, pues, fuerzas que tenderían a expandirse, y aquel que sostuviera conscientemente esta expansión sería un cruzado de la civilización. A la luz de esta reflexión, el concepto de metacruzada no es del todo aberrante. Designa un minimalismo del universalismo.

Los europeos han formulado la utopía del poder-actuar a escala mundial. El concepto de política mundial en sí contiene algo de esta utopía y de ese mesianismo de la acción. El poder-actuar es *el* más grande descubrimiento de los europeos. Es el núcleo de nuestro concepto de humanidad. Actuar significa salir del reino del sufrimiento, de la apatía, de la convicción profunda de que el ser humano no puede en verdad cambiar su condición. No se puede ser europeo sin participar, de una manera u otra, en ese mesianismo intervencionista, en ese evangelio de la acción. Esto explica la atracción que la mitología de Hércules ejerce en nosotros desde tiempos inmemoriales. Es el prototipo del hombre que puede hacer la diferencia: matar leones, estrangular en el aire serpientes de nueve cabezas y limpiar los establos de Augias: cada uno de esos actos heroicos crea una diferencia que hace la diferencia. Hoy se tiene la impresión de que los norteamericanos cuentan con un don particular para poner en escena esta mitología: su especialidad —si no se pasean por la superficie de la Luna— es limpiar los establos, hacer desaparecer del mundo las peores porquerías. Los europeos deberían comprender esto: nosotros también fuimos limpiadores de establos. En consecuencia, para una Europa venidera, digna de su mejores tradiciones, resulta absolutamente necesario definir un nuevo estilo europeo del poder-actuar y del poder-querer. En la actualidad, estamos como paralizados. Aquellos que, entre los intelectuales, proporcionan argumentaciones a los que actúan son percibidos como ideólogos o como locos que procuran aliarse con criminales.

Es la razón por la cual los intelectuales europeos se han abstenido la mayor parte del tiempo de la tentación que habría hecho de ellos consejeros. Somos lo contrario de los *national security advisers*: somos «desconsejeros» nacionales. El arte de aconsejar prácticamente ha desaparecido de nuestra vida intelectual. Habrá que aprenderlo de nuevo. Era la gran ventaja con que contaba Hannah Arendt en relación con los intelectuales que permanecían en Europa. Gracias a su emigración, la razón consultora se había convertido en su segunda naturaleza; en suma, se había convertido en una verdadera norteamericana. Al otro lado del Atlántico, la relación entre el que piensa y el que actúa era más estrecha, más exigente y más servicial que para nosotros, que vivimos en una cultura de la candidez y de la irresponsabilidad. Las implicaciones psicosexuales de esto tienen un gran alcance. Los europeos han deconstruido la imagen de la virilidad histórica. El hombre histórico, el poseedor de la capacidad de actuar, fue descompuesto en ese gran laboratorio que es la posmodernidad europea y norteamericana, donde se han hecho experiencias sobre un nuevo reparto del trabajo entre la acción femenina y la acción masculina. En la actualidad, la persona más cercana al presidente norteamericano es una mujer que tiene una visión absolutamente clara de lo que significa para las mujeres reclamar, compartir, la función fálica.

Ha llegado el momento de comprender que la realidad histórica de las naciones y de los grupos culturales está marcada por la ley de la interparanoia. La paranoia no es un concepto que se pueda emplear en singular. Lo esencial de una teoría válida de la paranoia reside en el descubrimiento de que los paranoicos son verdaderamente perseguidos —y muy a menudo, por agentes que a su vez se creen perseguidos—. El análisis de la interparanoia despliega una cultura de la descripción del campo político-psíquico, que nos permite finalmente reconocer que la paranoia siempre tiene razón. Es la propia razón. La inquietud paranoica y la razón social tienen una raíz común, cosa que, por otra parte, saben los hobbesianos, quienes fundaron el estado civilizado de la sociedad sobre el miedo esclarecido de los asociados. La pretendida realidad política tiene, pues, la estructura de un campo de relaciones interparanoicas. Por esta razón, la reconstrucción del principio de realidad sólo se puede hacer en términos de delirios puestos en red. De ahí la necesidad metodológica de introducir un tercero fuerte, un árbitro neutral provisto de una incuestionable autoridad. Ese tercero tendría la capacidad de intervenir en las guerras de socios durante los conflictos. Es de nuestro interés volver a neutralizar a Estados Unidos para lograr un tercero fuerte, lo suficientemente vigoroso como para bloquear los conflictos armados de los otros. Es posible preguntarse si en esto no hay un papel para los europeos del siglo XXI, dado que vuelven efectivamente al escenario de la política mundial.

Quedarían muchas cosas por decir sobre la idea spinoziana de un cuerpo político lleno de fuerzas de acción. Es una visión al mismo tiempo spinoziana, nietzscheana y curiosamente democrática. El poder de actuar, el poder de liberarse de la miseria, es la apuesta esencial de los tiempos modernos. Siempre hay que actuar y querer actuar, transformando incluso en acción la capacidad de sufrir. El cuerpo spinoziano sería la alternativa democrática al activismo de los elegidos. No estamos solamente desorientados por la filosofía de la inacción y la incapacidad de primer orden; también estamos amenazados por el activismo de los elegidos. La humanidad neutral, la humanidad que aún no ha desarrollado sus capacidades de actuar, está, por así decirlo, arrinconada entre la casuística de la impotencia y la casuística del activismo agudo. Una política europea del porvenir consistiría en la capacidad de actuar superando nuestro cansancio de la Historia. Si nos hemos vuelto perezosos y pasivos, ha llegado el momento de reactivarnos. Es preciso volver a pensar la idea de la cooperación en un nivel radical. Filosóficamente, es el desafío del siglo XXI: volver a pensar la multiplicidad de las inferencias entre seres dotados de fuerzas.

*A. F.*: ¿Europa sigue sintiéndose atraída por la mitología de Hércules, el héroe que mata leones, estrangula las serpientes de nueve cabezas y limpia los establos de Augias? Lo dudo. Considero más bien que el modelo de Europa es, en lo sucesivo, el de Hermes, el mediador, el mensajero, la estafeta, el ángel. La Europa exangüe se ha restablecido reemplazando el equilibrio de *fuerzas* por la creación de *lazos*. Se ha encaprichado en grado sumo con ese milagro, hasta el extremo de querer que se expanda y gane al mundo por entero. Después de haberse enfrentado, los europeos se han amarrado. Han reemplazado la política de poder por la autoridad de la ley y las virtudes del diálogo. Han conjurado el antagonismo mediante la integración. Y es esta la receta que proponen en general para limpiar los establos de Augias.

Nosotros, los europeos, seguimos siendo, pues, limpiadores de establos, pero pretendemos ser ahora lo bastante razonables como para prescindir de Hércules: nuestro ejemplo y nuestros emisarios deben bastar. Se le pueden hacer dos objeciones importantes a esta pretensión: la primera, teórica, es que la Europa de los buenos oficios tiene la tendencia a confundir bajo el nombre de «multilateralismo» el *hecho* de la multiplicidad de intereses, políticas y culturas con el *ideal* de la solución de los conflictos por medio de la participación de todos en la discusión y en la negociación. La pluralidad como tal no hace una democracia mundial. La segunda objeción es histórica y concierne al conflicto yugoslavo: Europa ha dado muestras —por su opción del más pequeño denominador común: la inacción— de que no está concebida para intervenir en la Historia, sino para salir de ella, y de que un humanismo sin virilidad es decididamente lo peor de todo. Frente al horror de la limpieza étnica, Hermes y su limpieza disimulada no han tenido peso alguno. Es lo que ya me parecía confusamente en Weimar, en 1991.

# XIII. Virilidad y galantería

*A. F.:* ¿Hércules o Hermes? Para ilustrar ese divorcio y esta alternativa, Kagan emplea otra imagen, no menos sugestiva. Los europeos y los norteamericanos, dice, no viven en el mismo planeta. Aquellos viven en Venus y estos en Marte. ¿Por qué en Marte? Porque cuentan con el despliegue de la fuerza viril para hacer un nuevo reparto de las cartas en el mundo árabe-musulmán.

Pues bien: lo que estructura ese mundo es la sensación de *humillación*. Humillación de las conquistas europeas iniciadas por Napoleón. Humillación del colonialismo. Humillación de Israel, de su existencia, de sus éxitos y de la ocupación de Palestina. Humillación constante del imperialismo norteamericano. He ahí la enfermedad del islam: no tanto la humillación en sí misma, sino la lectura de todo lo que ocurre en términos de humillación. En esta lógica del honor perpetuamente escarnecido, nunca existe nada de lo que haya que responder: el culpable se halla en otra parte, el culpable es quien ofende. La humillación desarrolla una concepción paranoica de la Historia, y la paranoia alimenta el propio estancamiento que denuncia. Para despegar, primero es preciso despegar de sí mismo.

El europeo experimentó la tentación de la paranoia, también como respuesta a las guerras napoleónicas. Tal como lo destacan Thomas Mann y el historiador húngaro Istvan Bibo, la Francia imperial, a la que se aplaudía por diseminar las ideas democráticas, en realidad sólo consiguió asociar esta propagación «con el recuerdo de una invasión extranjera, y el nacimiento de la nación con el de la resistencia contra esta invasión». Así surgió el *nacionalismo antidemocrático*, que alcanzó toda su dimensión un siglo después, luego de la humillación del Tratado de Versalles. En los países vencidos, la causa de la nación y la causa de la libertad se separan y, como también escribe Bibo, «la paradoja que consiste en querer movilizar las masas únicamente en favor de la causa de la nación, con exclusión de la causa de la libertad, explica todas las contradicciones y todas las monstruosidades del fascismo».[1]

En tierra del islam, que se macera en la humillación, ese sacrificio de la libertad individual ante las exigencias de la virilidad colectiva tiene lugar todos los días. Y eso implica el grave riesgo de desbaratar los maravillosos proyectos de la política norteamericana. En todo caso, la virilidad se interpone en el camino de la virilidad, pero esas dos virilidades no se confunden tanto como la cruzada contra el «eje de mal» y la *jihad*. Algo fútil y decisivo las separa: la experiencia civilizadora de la *galantería*.

[1] Istvan Bibo, *Misères des petits États d'Europe de l'Est*, L'Harmattan, 1986, pág. 116.

En sus *Ensayos estéticos*, escritos justamente para salvar la brecha entre el reino de los doctos y el más gracioso, más femenino, de la conversación, Hume definió la galantería como la atención generosa que lleva al hombre a compensar la fuerza mediante una complacencia y una deferencia manifiestas hacia todas las inclinaciones y todas las opiniones del bello sexo. Resulta claro que ya no se habla así. La revolución de los derechos del hombre y el triunfo democrático de la autenticidad con respecto a los buenos modales dieron cuenta del «Después de usted, señora». Sin embargo, algo perdura de la civilidad que hacía la felicidad de Hume, en el encanto de ciertos cafés y en la obstinada elegancia de algunas grandes ciudades. En todo caso, Occidente pasó por eso. No así el mundo árabe-musulmán. La exclusión de las mujeres siempre causa estragos y perpetúa la susceptibilidad necesaria para convertir todo revés en afrenta.

El choque de civilizaciones se cristaliza en torno al lugar de las mujeres. No es insuperable la diferencia entre el mundo que ellas embellecían antes de la puesta en marcha de la dinámica de la igualdad y el mundo de su relegación. Esta diferencia no justifica, pues, ni la inacción ni *a fortiori* la esencialización del islam. Empero, es necesaria una buena dosis de ingenuidad para no tenerlo en cuenta.

*P. S.:* No estoy del todo convencido de que los norteamericanos sean los mejores embajadores de la idea de galantería ante los musulmanes. Dicho esto, la galantería, desde el punto de vista filosófico, es un fenómeno apasionante que debería atraer la atención de los lógicos. Encarna la anticipación elegante de una cultura de la plurivalencia. Si se quiere salir de la idiocia de lo binario, es preciso introducir un tercer valor en el pensamiento, e incluso valores más elevados. La galantería, el humor, la dialéctica, la paradoja, todas esas formas retóricas son preciosas y nos ayudan a desarrollar el sentido del pensamiento plurivalente. Hasta ahora eran sobre todo los artistas quienes presentían que teníamos mucho para ganar si introducíamos una tercera perspectiva.

Los europeos son más perezosos que flojos, pero más complejos que perezosos. Por cierto, son mucho menos perezosos que los musulmanes, quienes pueden jactarse de la cultura de la pereza en su estado puro. La pereza lleva directamente a la simplificación binaria apenas deja de ser una mística. Su análisis de la falsa humillación de los musulmanes es, pues, del todo pertinente. Detrás de la humillación siempre se oculta la pereza. Resulta demasiado cómodo ser humillado. En esta actitud, se puede diferir indefinidamente la buena respuesta a la pregunta sobre cómo pasar de la impotencia al poder. El resentimiento es la opción de la impotencia en la intención de mantener con ella una actitud de fuerza. El no-poder como poder, el no-querer como querer: siempre es a Nietzsche a quien se le deben los más rigurosos análisis de los mecanismos reaccionarios. Es a causa de su aspecto reactivo y diferido que el resentimiento resulta un veneno tan eficaz. El acto ejemplar del resentimiento, el atentado suicida de quien lleva la bomba, desde la perspectiva de la teoría de la acción, es el punto cero de la acción libre y, al mismo tiempo, la cumbre de la impotencia mezclada con el querer-poder. Pienso que deberíamos continuar hablando de esta serie de conceptos dobles: virilidad, posvirilidad, heroísmo, posheroísmo, galantería, posgalantería, feminismo, posfeminismo. . .

*A. F.:* Es cierto. Ese estado de cosas ya desolaba a Henry James en *Los bostonianos.* Y persiste tanto como la igualdad de las mujeres, que puso fin al reinado de la galantería pero que no habría podido establecer nunca el suyo sin ese reconocimiento y ese elogio previo de la feminidad.

*P. S.:* Usted ha introducido un elemento suplementario que temporaliza el análisis del enemigo. ¿Qué es lo que sucede después del enemigo? ¿Existe una vida después de las hostilidades? ¿Existe una lógica polivalente que nos permita superar el dualismo amigo/enemigo, así como una alternativa al imperialismo clásico? Por otra parte, ¿contiene un concepto válido la expresión «posimperialismo»? ¿Puede existir una situación postschmittiana? Me gustaría agregar la cuestión de la miseria y su superación. ¿Hay una civilización más allá de la miseria? Los europeos tienen un privilegio muy grande y un enorme mérito: han llevado a cabo la rebelión contra la miseria humana. En determinado momento, esa corriente antimiseria se separó de la tradición cristiana. El compromiso hercúleo, la inversión en la voluntad de poder actuar, finalmente se revelaron más fuertes que el cristianismo. En ese preciso momento la modernidad se volvió posible. El cristianismo era el activismo del sufrimiento, una figura intermedia en la evolución de la conciencia moderna, que hizo enormes inversiones en la facultad de poder en cuanto poder sufrir. Ese compromiso histórico entre el poder y el sufrir estalló en el siglo XX, cuando se invirtió masivamente en el poder doble: el hacer hacer, el poder poder, el querer querer. No es casual que Heidegger, en sus comentarios sobre Nietzsche, haya propuesto un análisis de la cultura contemporánea de la voluntad. Según él, la voluntad se desdobla para convertirse en el corazón del dinamismo moderno. La turbo-voluntad es aquella que quiere querer. Es la razón por la cual, en nuestro período obsesionado por el antimodernismo y por la reflexión sobre los límites, incluidos los del «progreso», hemos visto resurgir la simpatía por el sufrimiento. Queda por saber si es un discurso reaccionario o bien un discurso sabio.

*A. F.:* Poder-sufrir esto reclama también el heroísmo e incluso, en el sentido no *macho* de la expresión, la virilidad.

*P. S.:* Uno se da cuenta de que no se escapa por completo ni a la verdad, ni a la cuestión del sufrimiento, ni a la cuestión del heroísmo. El heroísmo, como decía Nietzsche en una carta dirigida a Lou Andréas-Salomé, es sencillamente la buena voluntad de perecer. En el personaje de Zaratustra, Nietzsche inventó al hombre que se identifica con el sol, la garantía cosmológica del heroísmo, puesto que el sol muere en cada atardecer como un valiente. La buena idea de los europeos consiste en combinar la fuerza que actúa y la inteligencia que vacila, una fórmula que se remonta al filósofo británico Alfred N. Whitehead. Para él, la energía sin reflexión es brutalidad y la reflexión sin energía es decadencia.

A. F.: Usted cita a Whitehead. Para hacerle eco, citaré a Lévinas: «En la justa guerra emprendida contra la guerra, temblar —incluso estremecerse— a cada instante a causa de esa misma justicia. Es necesaria esta debilidad. Era preciso ese aflojamiento sin cobardía de la virilidad por el poco de crueldad que nuestras manos sembraron».[2] Pero agregaré esta extraordinaria y siempre actual puesta en guardia de Thomas Mann, en 1935: «Todo humanismo conlleva un elemento de debilidad que tiene que ver con su desprecio por el fanatismo, con su tolerancia y su inclinación por la duda; en suma, con su bondad natural, la que puede, en ciertos casos, resultarle fatal. Lo que se necesitaría hoy es un humanismo militante, un humanismo que descubriera su virilidad y se convenciera de que los principios de libertad, de tolerancia y de duda no se deben dejar explotar y trastocar por un fanatismo carente de vergüenza y de escepticismo».[3] Dos olvidos amenazan a Europa: el olvido

[2] Emmanuel Lévinas, *Autrement qu'être ou au-delà de l'essence*, LGF, col. «Biblio Essais», 1990, pág. 283 [*De otro modo que ser, o más allá de la esencia*, Salamanca: Sígueme, 2003].

[3] Thomas Mann, «Europe, prends garde!», en *Les Exigences du jour*, Grasset, 1976, pág. 256.

del enemigo por el humanismo y el olvido del humanismo por la paranoia. Carl Schmitt era paranoico.

*P. S.:* Es un hecho. Se cuenta que miraba debajo de la cama antes de acostarse. Probablemente no sea cierto, pero *è ben trovato*.

## XIV. Conformarse con palabras.
## En busca del principio de realidad

*P. S.:* Volvamos a la sospecha que sobrevuela ahora el Atlántico, ese océano que parece separar a aquellos que han alcanzado la madurez política de los que se han permitido una existencia de adolescentes o de feacios metapolíticos. Me gustaría retomar un giro de su discurso que conservé en la memoria. Usted decía que los europeos «se conforman con palabras». Para un oído alemán, eso tiene una resonancia sorprendente. Nosotros no tenemos un equivalente preciso y sin embargo la referencia parece evidente. Conformarse con palabras significa que se está en la posición de un falsificador de moneda que emite billetes falsos. Las emisiones de los europeos servirían para pagar pretensiones vacías, mientras que las emisiones norteamericanas estarían honradas por actos reales. Esto nos remite a una cuestión bastante radical, más allá de las moralejas de Robert Kagan sobre Marte y Venus. Los autores neoconservadores norteamericanos quizá tengan un punto en común, que es referirse a Thomas Hobbes para describir el principio de realidad política, mientras que les reprochan a los europeos haberse acostumbrado al clima demasiado suave de un invernadero. En ese debate, lo que resulta interesante desde un punto de vista filosófico es la realidad de la realidad. Ahora se sabe que no hay realidad sin interpretación de la realidad. Es soberano aquel que define el principio de realidad. La soberanía es la capacidad de hacer valer una hermenéutica de lo real. Para no condenar *a priori* la posición de los europeos a la luz del pretendido realismo adulto de los norteamericanos, es necesaria una explicación convincente de la causa europea por medio de una crítica de la razón adulta. ¿La voluntad de convertirse en un Leviatán planetario refleja en verdad la razón política de nuestra era? ¿O bien refleja un fantasma narcisista de control absoluto del mundo, tan apreciado por nuestros amigos norteamericanos? No se puede plantear esta pregunta sin sostener la última de las hipótesis: despúes de la experiencia del siglo XX, ya no disponemos de un concepto unívoco de la edad adulta. Y, sin embargo, en política se cree que quien se enfrenta con la violencia es más adulto que quien evita los enfrentamientos violentos. Pero, ¿existe la edad adulta en política? Y si existiera, ¿se trata de la propensión a ejercer la fuerza?

Hablaba de una sospecha que sobrevuela el Atlántico: la sospecha de que en la orilla izquierda hay adultos y de que en la orilla derecha sólo hay adolescentes. Si así fuera, ¿existen buenas razones para tomar partido por Europa? ¿O bien es preciso confesar que en el campo de la violencia hay que ser absolutamente norteamericano?

Sobre ese interrogante descansa la cuestión inherente a la observación, ya tristemente célebre, de Ronald Rumsfeld sobre la «vieja Europa». La «vieja Europa», según ese estratega duro, sería una Europa adolescente y envejecida, a la vez inmadura y demasiado madura. Sería un continente simultáneamente niño y decadente.

A. F.: ¿Quién es adolescente? ¿Europa en su burbuja o Estados Unidos «rambovarista», intoxicado por sus malos films? ¿Quién es peligrosamente tonto? ¿Norteamérica cuando pretende unificar el mundo a fuerza de dólares y cañones, o Europa al tomar a la ONU como el órgano de la democracia mundial? ¿Quién es adulto? ¿Norteamérica cuando se enfrenta a la violencia, o Europa que comprueba que la fuerza no resuelve nada?

Norteamérica me preocuparía menos si en su hermenéutica de lo real tuviera un lugar para la diversidad de tradiciones y de proyectos, es decir, para las resistencias de lo real. Europa me convencería más si su pluralismo no tuviera la tendencia a degradarse en un fetichismo de la pluralidad, y si su escepticismo no la llevara a tomar partido demasiado fácilmente por el mundo tal como está, es decir, con la injusticia establecida. Lo que falta en la Europa agobiada de Historia y enamorada de su milagro («el león alemán tendido cerca del cordero francés», como dice el propio Kagan) es el vigor o la lucidez necesarios para aceptar la idea de que la guerra no siempre es la peor solución, sino que a veces puede ser la mejor e incluso, en raros casos, la única.

P. S.: En la actualidad, los europeos experimentan el regreso de esa sensación de que las vacacio-

181

nes han terminado, de que ha ocurrido un fin de vacaciones forzoso. Por cierto que esto afecta más a los alemanes que a los franceses, quienes en verdad nunca se ausentaron de la gran política.

Es preciso reabrir el debate sobre la definición de la realidad. El antiguo monopolio sobre la hermenéutica de lo real ya no es tal. Si se examina ese problema, se descubre un círculo vicioso entre el concepto de realidad y los productos del concepto. Es muy probable que un realismo hobbesiano se vuelva generador de la propia realidad, pretendidamente existente desde siempre e independientemente de su interpretación.

La polemogénesis política funciona según mecanismos precisos: la inteligencia humana se inscribe en un círculo naturalista, forma parte de una primitiva hermenéutica de la violencia. No somos capaces de salir del círculo sino durante el tiempo que dura un armisticio: siempre volvemos a sumergirnos en la violencia. En consecuencia, la realidad de la realidad es el eterno retorno de la violencia. La espera de ese retorno está programada en nosotros en el nivel de un sistema de *stress* innato. Ser significa, entonces, estar atrapado en el círculo de la violencia. Existir quiere decir estar expuesto a la repetición de los estados de excepción. Aun si el proceso de civilización nos permite diferir el retorno de la violencia, sólo se logra ganar algo de tiempo antes de su seguro retorno. De esta manera, se hace la ontología de la guerra. Una vez concebida esta ontologización de la guerra, adoptada e interiorizada, resulta evidente que se permanece para siempre cautivo de ella. Curiosamente, en la contienda politológica de nuestros días se oye muy poco acerca de nuevos esfuerzos por reformular un pacifismo exigente. No sé si será tan sólo mi impresión selectiva, pero me parece que en la actualidad no hay prácticamente nadie, entre los teóricos o los políticos, que defienda un pacifismo a la altura de nuestras intuiciones teóricas más avanzadas. No se trata del pacifismo afectuoso de moda, que acumula todos los «anti» apreciados por los hombres de buena voluntad, sino de un pacifismo de las profundidades, que partiría de un análisis radical de la circularidad de la violencia para descifrar las fuerzas que determinan su eterno retorno.

En semejante situación, ¿qué nos promete la síntesis norteamericana entre hobbesianismo y mesianismo? Forzosamente, no el retorno de la distensión. Según los numerosos hermeneutas de la guerra eterna, eso nos quedaría prohibido para siempre.

Para el *Gran Tablero* de Brzezinski, los norteamericanos están en la situación de San Pablo ante la parusía de los chinos. Les queda muy poco tiempo. El verdadero poder mundial del porvenir se anuncia ya en Oriente. Brzezinski lo decía con toda claridad a sus contemporáneos: «A lo sumo, nos quedan veinticinco años». Una pequeña ventana temporal para actuar. Después, la libertad de actuar se evaporará de una vez y para siempre. Un nuevo Leviatán procedente de Oriente nos tendrá en jaque. ¡Actuemos rápido!

Esto corresponde exactamente a la visión paulista de la salvación en el acortamiento apocalíptico del tiempo. El auténtico mesianismo es siempre paciente: tiene un proyecto a largo plazo. La fuerza del mesianismo judío siempre ha sido fruto de su capacidad para esperar hasta que un opresor se disgregue por sí mismo. Si se vive bajo la ley de Dios, se puede esperar la caída de los reinos. Se vio caer a la Mesopotamia babilónica; se vio caer a los persas, con sensaciones encontradas, pues habían sido los liberadores del pueblo judío bajo la opresión babilónica, modelo de todas las «sorpresas divinas». Se vio caer al reino de Alejandro, y luego al de sus sucesores, los seléucidas, los más interesantes entre los opresores que hayan conocido los judíos, porque fue bajo su yugo que se formó la corriente de pensamiento apocalíptico, y fue en esa época cuando el profeta Daniel enseñó la imagen grandiosa del coloso de los pies de arcilla. En suma, la carencia de la facultad de esperar el final del imperio enemigo es la razón decisiva que nos lleva a dudar de si podemos hablar de un mesianismo norteamericano. Falta el elemento determinante del mesianismo, esa reserva atemporal de una espera a largo plazo.

La inclinación apocalíptica de Occidente no tiene equivalentes en Oriente, y la sabiduría oriental nos choca por su serenidad trágica: hagan la guerra como deben, nos dice, y no alimenten ilusiones acerca de las posibilidades de aprendizaje colectivo. La liberación se les promete exclusivamente a los individuos. No hay salvación en las colectividades. A esta melodía le responde la aguda voz de un Carl Schmitt: «Quien dice humanidad pretende engañar».

# XV. El masoquismo moralizador de los europeos

*A. F.:* Hace poco leí un magnífico y desgarrador artículo de Doris Lessing sobre Zimbabwe. En 1980, cuando Rhodesia cambiaba de nombre y accedía a la independencia, los presidentes de Mozambique y Tanzania le decían a Robert Mugabe: «Tienes entre las manos la joya de África. Ahora te corresponde cuidarla». Veinte años después, comprueba Doris Lessing, la joya ha sido saqueada. En aquella tierra paradisíaca, rica, por añadidura, en carbón y minerales, crecía de todo. Pero hasta el propio paraíso necesita infraestructuras. Ahora está en ruinas. Un hombre es responsable de esta calamidad: Mugabe. Hoy en día es objeto de execración general, pero esta, observa Doris Lessing, demoró en llegar: nada es más asombroso que el silencio que mantuvieron sobre esto los biempensantes (Doris Lessing dice exactamente «bien deseantes», *well-wishers*). «¿Cuántos crímenes se cometieron en nombre de lo políticamente correcto? Un asesino puede escapar a cualquier condena si es negro. Es lo que le sucedió a Mugabe durante años».[1]

[1] Doris Lessing, «The Jewel of Africa», *The New York Review of Books*, 10 de abril de 2003, pág. 6.

¿Qué sugieren esas líneas, escritas —¿es necesario aclararlo?— por una progresista comprometida desde hace ya mucho tiempo con la lucha por la emancipación de los pueblos y la igualdad de derechos? Sugieren que el etnocentrismo del arrepentimiento relevó al imperialismo arrogante en Europa y en esos encumbrados ámbitos del radicalismo antinorteamericano que son los *campus* de Estados Unidos. Que la imagen de un Occidente mundialmente dañino sustituyó a la de su benefactor universal. En otros términos, lo políticamente correcto no es el fin de «todo lo occidental»: es su cambio de signo. La desolación proviene de Europa como antiguamente provenían la emancipación y la felicidad. De modo que no hay más que un racismo posible: el racismo del hombre blanco. Solamente él es culpable de la violencia y la exclusión. Únicamente él manifiesta intenciones odiosas y comete actos innobles. *Todo lo demás es contraviolencia.*

Dos obsesiones, dos miedos, se disputan el alma occidental: el miedo al terrorismo y el miedo a los viejos demonios. Para aquellos que, como ya se ha dicho, corren constantemente el riesgo de caer en la paranoia, hay enemigos y es preciso combatirlos; para aquellos otros que, como escribió Octavio Paz a propósito de Sartre, convierten la gran tradición crítica europea en feroz ejercicio de denigración y de «masoquismo moralizador»,[2] el mal es íntimo, el mal está en nosotros y debe ser vigilado día y noche, pues, según la infatigable fórmula

[2] Octavio Paz, *Rire et pénitence*, Gallimard, 1983, pág. 83.

de Brecht: «Todavía es fecundo el vientre de donde salió la bestia inmunda». Los Mugabe son los principales beneficiarios de esta autodemonología.

*P. S.:* No sólo volvemos de las largas vacaciones, sino también de un período de reeducación. Como recién llegados que somos a la democracia, nos hemos convertido en los más exigentes en cuanto al esfuerzo de tomar la lección del vencedor al pie de la letra. Fue el elemento decisivo de la posición alemana frente a los norteamericanos durante la crisis de la anunciada guerra contra Irak, políticamente encarnada por el canciller Schröder, posición que por mi parte había sostenido activamente, como la mayoría de los intelectuales alemanes. Estamos superando a nuestros propios maestros en un momento en que los maestros parecen burlarse de las lecciones que nos impartieron. Hay, ciertamente, una invitación al arrepentimiento, como si, luego de todas las masacres cometidas por los europeos, ahora fuese el turno de los no europeos. Si existe un derecho a la masacre del otro, está en manos de los masacrados de antes. En el Prefacio del libro *Los condenados de la tierra*, de Frantz Fanon, Sartre, como buen moralizador masoquista, nos ofrece este mensaje: «¡Ustedes, condenados de la tierra, masacren a sus antiguos señores!». Para que nos hicieran justicia, sería necesario que nos diezmaran. Hemos merecido el odio, debemos aplaudir cuando el Tercer Mundo toma su revancha contra los europeos. Fueron muchos los europeos que pensaron que lo que les había sucedido a los norteamericanos el 11 de septiembre no era finalmente tan inmerecido. ¿Acaso los norteamericanos no llevan una vida de niños mimados y se salen de sus casillas cuando su sueño de seguridad absoluta es cuestionado? En suma, hay una diferencia entre la visión del mundo de Estados Unidos y la de Europa. Tiene que ver con la interpretación de las amenazas.

Los europeos dan muestras de una muy bella indolencia: según ellos, sólo es amenazado aquel que quiere sentirse amenazado. Hay una linda frase en el libro de Robert Kagan: para el hombre que posee un martillo, todos los problemas tienen el aspecto de clavos. En efecto, los norteamericanos están persuadidos de que el mundo es una acumulación de clavos. Quienes carecen de martillo tienen por fuerza una sensibilidad completamente diferente, y esto me devuelve a mi punto de partida: lamento la falta de un estudio pormenorizado de los mecanismos polemógenos a nivel de la política mundial. Sólo dos teorías apuntan a los dramas que vivimos: la de René Girard, que amplió su teorema de base sobre la rivalidad mimética a la relación entre Occidente y el mundo musulmán, y la de Bazon Brock y Heiner Mühlmann, quienes propusieron un nuevo análisis de las relaciones interétnicas e internacionales en términos de conjuntos de *stress*.[3] Algo es seguro: si se predica el retorno al realismo, sólo se obtiene realismo.

[3] El libro de Heiner Mühlmann se titula *Die Natur der Kulturen: entwurf einer kulturgenetischen Theorie*, Viena: Springer, 1996.

Última observación. El monismo de los milita-
res sólo tiene un adversario serio: el pluralismo co-
mercial. Fueron singulares pacifistas, los comerciantes, quienes coinventaron, con los sabios, la
cultura posheroica. Los herederos del imperio de
los comerciantes británicos, los norteamericanos,
siguieron siendo comerciantes mientras se inspi-
raban en la ontología política de los imperios romanos, basada en la teología del éxito. Los romanos, como los norteamericanos, estaban convencidos de que no se tiene éxito por accidente, que todo
éxito expresa la voluntad de los dioses.

No olvidemos nunca que ser norteamericano es
formar parte de una *success story* con fuertes connotaciones metafísicas. Me pregunto cómo podría
responder una teoría europea a la tentación de la
teología política transatlántica. El peligro de toda
teología política es el cortocircuito entre el resultado de la vida terrestre y la semántica trascen-
dental. El intelectual norteamericano, aunque no
hable de teología, es siempre un teólogo del éxito.
Por el contrario, los europeos contemporáneos, como los judíos clásicos, están condenados a desarrollar una teología negativa del éxito. Son los únicos
que pueden decir: el éxito mundano no prueba
nada. Hay que crear o fortalecer cierto ateísmo del
éxito. Gracias a ese ateísmo se escapa a la alternativa entre el sadismo de quienes son elegidos para
la victoria y el masoquismo de quienes han sido
elegidos para el arrepentimiento.

*A. F.:* La lógica del masoquismo moralizador
desemboca, en efecto, en ese reclamo increíble,

exorbitante: la apelación a ser masacrado. Es todo
el sentido del furioso prefacio de Sartre al libro de
culto de Frantz Fanon, *Los condenados de la tierra*: «Y el colonizado se cura de la neurosis colonial
expulsando a los colonos con las armas. (. . .) de lejos, consideramos su guerra como el triunfo de la
barbarie; pero aquella procede por sí misma a la
emancipación progresiva del combatiente, liquida
en él y fuera de él, progresivamente, las tinieblas
coloniales. Desde que empieza, es una guerra sin
piedad. Es preciso permanecer aterrorizado o volverse terrible; esto quiere decir: abandonarse a las
disociaciones de una vida falseada o conquistar la
unidad de origen. (. . .) Matar a un europeo es matar dos pájaros de un mismo tiro, suprimir al mismo tiempo a un opresor y a un oprimido: quedan
un hombre muerto y un hombre libre».[4]

De esta manera, para que la humanidad viva
es preciso que Europa muera: expiar es expirar. El
yo avergonzado, la mismidad piadosa, ya no se
conforman con medidas a medias: no basta con ser
destituido, es indispensable ser abolido y reemplazado por el Otro.

*P. S.:* Una vez más: «Después de usted, señor».

*A. F.:* Sí, pero cuando Lévinas dice que el Otro
cuestiona mi derecho a ser, se aplica a revelar el

---

[4] Jean-Paul Sartre, Prefacio a Frantz Fanon, *Les damnés
de la terre*, Gallimard, col. «Folio», 1991, págs. 51-2 [*Los condenados de la tierra*, México: Fondo de Cultura Económica,
1986].

sentido ético de la relación intersubjetiva. Quienes pasan directamente del «yo» al «nosotros» y del rostro del prójimo al Otro como entidad colectiva, esos olvidan lo concreto; para Lévinas, la cuestión acerca de «¿Quién pasa antes que el otro?» nunca queda definitivamente zanjada. Es necesario luchar contra el Ángel; dicho de otra manera, es preciso seguir siendo prosaico, porque al volverse general, al *elevarse* a la abstracción, «cualquier pensamiento generoso resulta amenazado por su estalinismo».[5] Alinear la política, sin precaución ni mediación, con el modelo de la relación ética original es llenar el mundo con las ideas de Lévinas, que se han convertido en alocadas, mientras los tóxicos del Otro tienen desafortunadamente viento en popa: el masoquismo moralizador nunca se comportó tan bien como después de la caída del comunismo. Dado que existe una sola potencia sobrearmada con el poder de imponer su ley al mundo, cada vez más occidentales están persuadidos de que el peligro tiene una dirección: la de ellos. Todos los meses se lee en *Le Monde diplomatique* que la amenaza terrorista no existe, que no es otra cosa que el nombre que le da el fuerte al débil para justificar el dominio y el saqueo. El primer Estado delincuente, dice Jacques Derrida, es el que se arroga el derecho soberano de emplear tal mote y de tomar la iniciativa de la guerra o de operaciones de policía contra los Estados así estigmatizados.

El mundo no está, pues, dividido solamente en dos campos, sino en dos categorías, en dos tipos de

[5] Emmanuel Lévinas, *Au-delà du verset, op. cit.*, pág. 98.

seres: los hombres-causas (nosotros, los occidentales) y los hombres-efectos (los demás). Nosotros actuamos soberanamente. Los otros, por su parte, reaccionan como pueden. Mientras que nosotros violamos *alegremente* las normas del derecho internacional, por su parte, ellos sólo lo hacen cuando su situación ya no tiene más esperanzas que desplazarse hacia la ilegalidad. Nosotros somos culpables de nuestras transgresiones; las de ellos son explicables. A nosotros nos corresponde la infamia; a ellos, la sociología.

De ahí la extrema agresividad de los pacifistas. Esos no-violentos son hiperbelicosos. Denuncian en los términos más intensos la noción horriblemente simplista del «eje del mal». Pero, ¿qué le oponen? La certeza absoluta de conocer y combatir el centro de comando de todas las injusticias, de todas las abominaciones, de todos los cataclismos. Con el pretexto de protestar contra la criminalización del enemigo, repatrían al enemigo criminal al recinto de *nuestra* civilización. El eje del mal de ellos es la alianza de Estados Unidos con Israel.

Comparar su antisionismo desatado con el pensamiento del complot que se despliega en los *Protocolos de los sabios de Sión* es perder el tiempo (hice la dolorosa experiencia). No obstante, la flagrante similitud de las argumentaciones no los afecta. Nada puede hacer mella en su inocencia: no odian al Otro, sino que lo hacen en representación del Otro, en su favor y en su nombre. No se sienten perseguidos: defienden a las víctimas de la persecución colonial. Israel se les presenta como la expresión más cruel y más voraz de Occidente, es decir, de ellos mismos, de ese ser que son y con el que dejan de solidarizarse en un vértigo de abnegación, y con toda la buena conciencia de una ilimitada mala conciencia. Su odio procede del masoquismo moralizador, y no de la paranoia. Eso es lo que lo vuelve, más todavía que al odio paranoico, *inimputable*.

# XVI. La utopía amenaza

*P. S.:* Me gustaría hacer un breve comentario con respecto a dos motivos que resuenan en sus explicaciones. Ante todo, el análisis de Derrida acerca de la expresión «Estado delincuente». En una serie de comentarios y entrevistas he preconizado, por mi parte, la devolución al remitente: el destinatario ya no vive en la dirección indicada. También he explicado que el concepto de *rogue* fue concebido por los biólogos que estudiaban el comportamiento de los animales gregarios. *A rogue animal* es un individuo que se aparta del grupo y únicamente vuelve a él en ocasión de las actividades sexuales. En lo demás, desaprende las buenas maneras del rebaño. Los *rogue* encarnan, para decirlo en otros términos, lo excepcional en el nivel de la sociología animal.

Ese retroceso en relación con la vida habitual de los pueblos es la suerte de las dos naciones que son Estados Unidos, por un lado, y el Estado de Israel, por el otro. Los dos recurren a argumentaciones similares: si usted estuviera en nuestra piel —una piel fuerte en uno de los casos, una piel lastimada en el otro—, actuaría como nosotros. La lógica del *delincuente* pretende que la excepción lo exonere de la regla. O bien se es demasiado fuerte para la razón común, o bien se ha sido demasiado maltratado a menudo como para respetar las normas.

En la época en que escribí la *Critique de la raison cynique*, hacia 1980, me enfrenté sobre todo con el fascinante y repulsivo fenómeno de la amoralidad con que se reparten las cartas sobre la mesa. Para el cínico, la razón es el arma de los débiles. Si se quiere adoptar esta estrategia es necesario estar suficientemente perdido. Pero se puede estar demasiado herido por la razón o demasiado furioso, demasiado excepcional. ¿Por qué los europeos se han permitido ese exceso de masoquismo moralizador? ¿Fue simplemente para crear una nueva arrogancia?

La arrogancia sádica de los norteamericanos reside en la presunción de que en el otro siempre hay un yanqui encerrado que sólo pide salir. La arrogancia masoquista de los europeos se expresa mediante la hipótesis de que el otro es una marioneta revanchista a la que se puede «comprender perfectamente» cuando nos ataca. Nuestro «otro» es un maniquí de resentimiento, comparable con una marioneta de Kleist cuyo centro de gravitación estaría regido por un perfecto mecanismo, que garantiza la armonía de los movimientos. Los terroristas —vistos desde una perspectiva kleistiana— no son otra cosa que marionetas manipuladas por los hilos de la cólera. Sus peores crímenes tienen la gracia que caracteriza a los gestos de los autómatas oscuros. Cada terrorista suicida se nos presenta como un príncipe de Hombourg encolerizado.

*A. F.*: La culpabilidad integral del masoquismo moralizador combina la sensación de no ser alguien valioso y el orgullo de estar en el origen de todos los males. Existe algo de soberbia en esta humillación extrema. Por un lado, rebajarse; por el otro, jactarse. Por un lado, arrodillarse; por el otro, henchir el pecho. Esta extraña gimnasia es hija de Rousseau y de su impronta filosófica: el reemplazo del pecado original por el crimen original. Lo que desencadena la historia, dice Rousseau, no es la falta del primer hombre: es la desigualdad *social*. El mal, que antes de Rousseau era metafísico, se convierte con él en político: Rousseau es el primer pensador que reduce el problema humano al de la opresión. Es una reducción fundadora del espíritu de radicalismo. A la posteridad de Rousseau se le debe la idea de remontarse al crimen original y, de una manera u otra, de *detener al autor* para permitirle a la humanidad vivir en la plenitud.

Todos aquellos a los que se ha llamado disidentes trataron de sacarnos de esta embriaguez o de esta impaciencia mesiánica al mostrarnos la relación que existía entre el ideal sonriente del comunismo y su lúgubre realidad. Cuando Solzhenitsin escribía que la línea divisoria entre el bien y el mal pasaba por el corazón de cada hombre, le restituía a la *naturaleza* humana lo que después de Rousseau se consideraba una realidad histórica y social en todo sentido. ¿Por qué lo hizo? Porque comprendió en el Gulag que el totalitarismo no significa el fracaso del sueño de plenitud, sino su cumplimiento. Lo que le enseñó su experiencia fue que la opresión concentracionaria resulta de la reducción del fenómeno humano al problema de la opresión. Si ninguna porción, ningún momento de la vida, escapa al conflicto entre opresores y oprimidos, si no se sustrae nada a las relaciones de fuerzas, nada, en rigor, puede ser hurtado a la curiosidad del poder, al que se le ha encomendado hacer sanos y felices a todos los hombres. Entre el ideal luminoso de una humanidad regenerada y la realidad panóptica de un poder omnipresente no hay contradicción, sino relación de causa a efecto. Para que la política respete a los hombres, es necesario que renuncie a ocupar todo el espacio de lo humano.

Esta lección no prosperó. Esta crítica radical del «todo es política», es decir, del radicalismo, se quedó sin futuro. El derrumbe del comunismo fue también el de los disidentes, pues el reino indiviso de una Norteamérica triunfadora impulsó la imagen de la omnipotencia y la idea del crimen original. Esto, en momentos en que, bajo la forma de una humanidad poshumana y de una naturaleza enteramente artificializada, la utopía nos invade y nos amenaza con su propio cumplimiento. Berdiaev tenía razón: los nuevos poderes que nos tocan en suerte en la naturaleza y en nuestra propia especie hacen aparecer «las utopías como mucho más realizables que lo que se creía antes. Y nos encontramos ante una pregunta angustiante por muy diferentes motivos: ¿cómo evitar su realización definitiva?».[1] Pero esta angustia nos es, de alguna manera, confiscada, pues, con la «altermundialización», es el incontenible rousseaunismo el

[1] Esta cita aparece como epígrafe en *Meilleur des mondes*, de Aldous Huxley [*Un mundo feliz*, México: Diana, 1964].

que se deja llevar contra el tecnicismo desatado, como si se pudiera curar la fiebre de lo ilimitado negando la finitud.

*P. S.:* Al haber invadido toda nuestra realidad, la utopía ya no nos puede abandonar. Incluso la facultad de ser infinitamente culpable no es más que otro rostro de la utopía. Estar imbuido de una culpabilidad ilimitada equivale exactamente al fantasma de estar siempre un paso adelante de las reacciones de los demás. Al invocar un crimen original, supero al otro por mi criminalidad constitutiva; al otro sólo le queda la posición reactiva, naturalizable, la de la marioneta encolerizada.

El sujeto occidental lleva hoy la máscara del penitente en el poder. Disimulado por una autodenegación, está omnipresente. Desde un punto de vista psicopolítico, Estados Unidos esperaba un 11 de septiembre para ubicarse por fin en el papel de la víctima, papel para el que estaba muy bien preparado. Mientras que el culto de la víctima a la europea se practica como un victimismo del otro, los norteamericanos han descubierto las delicias de un victimismo de sí mismos. A su juicio, las mayores víctimas del mundo son de ahora en adelante ellos mismos. El victimismo narcisista de los unos y el amor propio penitente de los otros son actitudes parecidas entre sí. Resulta difícil ver por cuál salida se puede abandonar esa célula de una subjetividad moralizante irreal. Ni unos ni otros encuentran el acceso a una ética de la responsabilidad, a una ética de la madurez moral. Volvemos a nuestra cuestión de la edad adulta, de la edad humana de la razón política. No sólo nos hallamos en un espacio interparanoico, sino en un espacio de rivalidad mimética entre los que quieren extraer un máximo de beneficio de la posición de víctima.

Durante la Primera Guerra Mundial, un día, Kafka escribió en su *Diario* una frase enigmática: «Por última vez, la psicología», *Zum letzten Mal, Psychologie*. Para terminar con la psicología. ¿Qué nos queda entonces? Diría que recurrir a un profetismo adulto. Hannah Arendt declaró: la única profecía válida es la promesa que uno cumple. Está en el espíritu de Nietzsche, para quien el hombre es el animal que tiene derecho a prometer.

*A. F.:* Prometer es responder de sí mismo. Ahora bien: si se la concibe como crítica de la dominación o como revolución democrática, nuestra modernidad es reticente con la responsabilidad. El motivo fascinante del crimen original lleva a la absolución de los crímenes *posteriores*, de las violencias reactivas. La Vulgata rousseauniana divide a la humanidad en dispensados de oficio y acusados perpetuos. El antisemita de Maurras es un canalla, explicaba Sartre. Al vomitar sobre los judíos y al hacer el panegírico de Hitler, Genet era un provocador. El primero participaba en el crimen burgués, el segundo era su víctima: «Lo que le repugnaba a Genet en el israelí era que reconocía en él su propia situación».[2]

[2] Jean-Paul Sartre, *Saint Genet, comédien et martyr*, Gallimard, 1952, pág. 230 [*San Genet, comediante y mártir*, Buenos Aires: Losada, 2003].

La revolución democrática engloba la infinidad de acontecimientos que vienen al mundo en la idea directriz de una historia de la emancipación. Y, tal como nos anuncian sus partidarios más entusiastas, el gran relato llega a su fin. Después del derrumbe de todas las autoridades institucionales, sólo quedaría con vida la autoridad íntima que el individuo del pasado ejercía, a través de sus compromisos, sobre el individuo actual. Esta autoridad, dicen triunfalmente, cae a su vez: ya ninguna ley obstaculiza al yo, nada le pone trabas, ni siquiera los juramentos, las alianzas o las imposiciones del yo anterior. Con el derecho a la negación, el reino de la tiranía se acaba: el hombre sale, perjurando, del estado de tutela donde se había colocado por su propia falta.

Fui esclarecido acerca de esta mutación antropológica por un episodio judicial aparentemente insignificante. Usted sabe que, en el marco de la lucha contra la discriminación, Francia les concedió a las parejas homosexuales el reconocimiento oficial bajo la forma de un Pacto Civil de Solidaridad (PACS). Hace algún tiempo —en junio de 2002—, el presidente del tribunal de primera instancia de Lille comisionó a un ujier «para que comprobara el adulterio cometido por Philippe X», ante la demanda de William L., su cónyuge «pacs». En su sentencia, el magistrado afirmaba que el PACS implicaba para los consortes la obligación de vida en común. Y concluía que la falta a esta obligación justificaba el procedimiento de anulación del PACS a expensas del consorte culpable. Esta decisión fue inmediatamente calificada de reaccionaria por los órganos mediáticos y asociativos del Partido Único de lo Universal. ¿Por qué reaccionaria? Porque esa interpretación del PACS cuestionaba la posibilidad otorgada al cónyuge que quería separarse de romper la unión mediante una carta certificada. Lo reaccionario consiste en que es heterónomo. Y lo que es heterónomo, en un mundo liberado de toda trascendencia y de toda tradición, es la palabra empeñada. Las decisiones del yo muerto gravitan muy pesadamente sobre el cerebro del yo vivo. El hombre ha nacido libre y en todas partes es prisionero de sus propias promesas: el PACS es el comienzo del fin de esta alienación de uno consigo mismo. Es la última batalla. Es el último *round* de la lucha de lo liviano contra lo pesado. Es la victoria acaso definitiva de la chabacanería sobre lo que Lévinas llama la apología: «Me pregunto si hubo alguna vez en el mundo un discurso que no fuera apologético, si el *logos* como tal no es apología, si la primera conciencia de la existencia no es una conciencia de las responsabilidades, si no somos acusados desde el inicio, en vez de entrar en el mundo cómodamente y sin pedir perdón, como si fuera nuestra casa. Pienso que es de esta manera como se trata de ser judío, pienso que es por eso que merecemos ser llamados seres humanos».[3]

Por mi parte, a veces me pregunto si otra humanidad no está por nacer del doble despojo de la responsabilidad por la hermenéutica del crimen

[3] Emmanuel Lévinas, *Quatre lectures talmudiques*, Minuit, 1988, pág. 175.

original y por el gran relato democrático de la libertad en marcha.

*P. S.:* El ejemplo despierta múltiples fantasmas. Podría enviar un número ilimitado de cartas certificadas a todo lo que me irrita. Por ejemplo, se podría enviar una carta certificada a los chinos para decirles que nos desagrada que sean tantos. Su gran cantidad es en sí una ofensa a los derechos del hombre, y se les exigiría que disminuyan su población y que no regresen hasta que su cantidad no pese más sobre nuestra conciencia ni sobre el planeta. Se les podría decir cortésmente que confirmen la recepción de nuestra carta certificada, y que hasta nueva orden eso será lo último que tendremos para decirles.

*A. F.:* «Mil quinientos millones de chinos y yo, y yo, y yo. . .»: la cantidad no es solamente una ofensa a los derechos del hombre; también paraliza la responsabilidad. Pero no es esta disolución en el número lo que atormenta al individuo contemporáneo. Este quiere liberarse no de los chinos, sino de sí mismo, del insoportable fardo de su ipseidad. El mantenimiento de sí mismo le pesa, la estabilidad ya no le dice nada que valga la pena. Mientras que sus antepasados, ávidos de permanencia, miraban hacia el cielo, él, por su parte, aspira a la felicidad del estado líquido.

*P. S.:* Quizás habríamos sido mucho más optimistas si hubiésemos dicho que los seres humanos nunca matan más que al padre. La muerte del padre se vuelve inútil si no se la amplía a la muerte de los antepasados en general. Aquí se descubre la verdadera actualidad de la herencia sartreana. El sartrismo nos había enseñado que el ser humano es demasiado orgulloso como para tener un pasado. El pasado en cuanto tal es un insulto, disminuye mis capacidades de devenir. El consumidor final debe liberarse del pasado para entrar en la presencia eterna del consumo. Esto merece claramente una carta certificada a los antepasados y a los nostálgicos.

*A. F.:* A Sartre le gustaba citar esta frase del conde Mosca, con la que se refería a Fabrice del Dongo y a la Sanseverina: «Si entre ellos se pronuncia una palabra de amor, estoy perdido». En efecto, la palabra *solidifica* el sentimiento. Constituye un juramento del que ninguno de los amantes puede renegar sin traicionarse a sí mismo: «Se alimentará, pues, al vampiro, nos alienaremos en esa tarea infinita para este fin último —o última mistificación—, la fidelidad a sí mismo».[4] Sartreano a su manera, el *homo democraticus* último modelo encontró el atajo: en vez de alimentar al vampiro, le envía cartas certificadas. Toda la cuestión consiste en saber si de esta manera ha liberado o ha *liquidado* el amor.

[4] Jean-Paul Sartre, *L'idiot de la famille*, Gallimard, 1971, pág. 784.

# XVII. Matar a la marioneta en sí mismo

*P. S.:* Nuestra conversación nos lleva al núcleo de la filosofía al plantear la pregunta *Was heisst denken?*, «¿Qué es el pensamiento?» o «¿Qué es lo que hace pensar?». Usted recordará la famosa conferencia de Heidegger, en la cual la palabra *heissen*, en alemán «nombrar», «llamar», «llevar un nombre», evoca toda la ambigüedad de la reflexividad involuntaria. Ser y ser provocado son una sola y misma cosa. Pensar, según lo que dicen los grandes pensadores, comienza por una desposesión que me priva del privilegio del monólogo interior, al que he confundido hasta ahora con el pensamiento. Es la voz de la catástrofe que surge en mí y que me hace pensar cosas que no quería pensar. La interrupción es la forma auténtica de la verdad. Tenemos de nuevo la posición paulista. Probablemente no haya sido obra de la pura casualidad el hecho de que varias veces, en el transcurso de nuestras conversaciones, apeláramos al personaje de San Pablo, quien es, en nuestra tradición, el testigo número uno de la toma de rehenes por el espíritu, o por la contemporaneidad. De nuevo: comenzamos a pensar como prisioneros de guerra. Si usted cae prisionero, es porque ha encontrado su guerra y su guerra lo ha encontrado a usted.

Existe una guerra a la que usted no escapa. Usted ha sido encontrado por un enemigo que no se desarma nunca, el enemigo es la realidad real que lo interrumpe a usted. Si antes se decía: «Bajo los pavimentos, la playa», era para expresar la convicción de que la distensión resultaba más verdadera que la tensión. Si, por el contrario, se nos dice ahora: «Bajo la playa, la continuación del campo de batalla», se está confesando que la guerra es más real que la paz. ¡Henos aquí reconvertidos en aprendices de brujo del realismo!

Aquí se trata nada menos que de la patogénesis de la inteligencia reflexiva. Alguna vez será preciso que perdamos la virginidad de las matemáticas y de los prejuicios puros. La segunda inteligencia es el resultado de una violación por lo real.

Mi propia guerra era, además, la experiencia del lenguaje. En un determinado momento, había notado que en la lengua existen varias lenguas y quería hablar de otra manera. Había comprendido que la peste realista es transmitida por la lengua corriente. La segunda lengua que siempre buscamos está íntimamente ligada con la segunda inteligencia. Yo estaba de vuelta de las ilusiones terapéuticas y pragmáticas. Estar de vuelta significa para mí instalarse en la frontera entre la contemplación y el compromiso, entre el lenguaje libre y el lenguaje sometido. Quería estar seguro de que si alguna vez tenía que actuar, no era la marioneta la que actuaba. Recuerdo una frase de Paul Valéry a propósito del señor Teste: «Había matado a la marioneta en sí mismo». Para mí es uno de los escasos enunciados que prueban la existencia de una espiritualidad del siglo XX. Matar a la marioneta... Hay marionetas combativas y hay también marionetas pacifistas. Para retomar nuestro tema de la edad adulta, diría que el adulto es precisamente aquel que acepta el llamado de lo real. Recibe el mandato y hace lo necesario, en tanto rechaza el folclore del realismo duro.

Desde la década del setenta o del ochenta, el furor de la crítica de las ideologías prácticamente se apagó. Solamente dejó rastros bajo la forma de malas costumbres intelectuales, costumbres que quedan cuando las convicciones se van. Tras las ideologías clásicas de derecha y de izquierda, desde la década del treinta, en Heidegger y poco después en Sartre, se manifiesta un fenómeno del cual propongo una nueva descripción. Lo llamo la ideología modal. La ideología modal pretende que lo contingente, lo no necesario, se transforme en necesidad. La vergüenza pertenece al registro ontológico, que es el de la contingencia. Se tiene vergüenza de lo no fundado, de lo contingente de la propia existencia.

La *Stimmung* de la contingencia total marca el punto de partida de Heidegger en *Ser y tiempo*. Comienza por una fenomenología de la *Geworfenheit*, del ser arrojado. ¿En qué se es arrojado? En la insostenible liviandad del ser. En consecuencia, no se está condenado a la libertad, sino a la frivolidad. Se está condenado a la imposibilidad de ser convencido de algo. Si existe una verdadera filosofía moderna, su axioma sería este: nada que no sea la nada nos convence. El tren ha entrado en la estación del escepticismo final. La ideología modal es la rebelión contra esa comprobación. Quiere transformar la frivolidad en seriedad, la contingencia en necesidad, la no convicción en nuevo testimonio. Si usted da una mirada al horizonte del pensamiento contemporáneo, verá que hay dos campos cuya línea divisoria sigue las interpretaciones opuestas de la cuestión de la contingencia.

La casualidad separa los espíritus. Los que abrazan el azar y bailan con él asumen la modernidad de su situación. Por el contrario, los que rechazan el azar y se entregan a la búsqueda de la necesidad son los verdaderos nuevos reaccionarios. Todos los reaccionarios son nuevos. Durante un período considerable de mi itinerario intelectual me enfrenté con esta problemática. Hoy experimento una cierta serenidad frente a esta cuestión. Asumo la modernidad de nuestra situación concediéndole al azar lo que le corresponde al azar, sin querer compensar la contingencia mediante una nueva fatalidad. Tras la marca *cool* se oculta nuestra demanda de fatalidad. La «reacción» se encuentra por todas partes: existe una nostalgia de lo pesado. Existe la frustración de la catástrofe que no llega; existe una tendencia apocalíptica insatisfecha; existe el romanticismo de lo duro, del que ya hablaba Julien Benda en su tratado *La trahison des clercs*, publicado en 1927; existe la necesidad de someterse a algo mayor que nosotros mismos. Todo eso es nuestro islam interior: *islam* quiere decir sumisión. En el fondo, somos casi tan islamistas como el mundo árabe.

Si alguna vez el trabajo de la crítica de la ideología tuviera que rehacerse, debería aplicarse a la ideología modal que pretende que todas nuestras libertades se vuelvan a transformar en actos de servicio de lo necesario —yo hablaría de una meta-obsesión—. Se ha comprendido que aquellos que tienen un trauma o una convicción limitada —en suma, los neuróticos y los idiotas— tienen una ventaja existencial en relación con quienes se encuentran en la indiferencia y en la ausencia de dolor. Dicho esto, pienso que habría que tratar de hallar la delgada línea que separa la experiencia de aquel que acepta el mandato de la acción adulta, por un lado, de la necesidad neurótica de aquellos que fingen reinventar el compromiso, por el otro. Los celos de los normales hacia quienes llevan el fuego sagrado del trauma y de la convicción idiota son tan fuertes, que se finge estar obsesionado por algo. La estructura reflexiva de la metaobsesión resulta muy clara: se quiere estar obsesionado por cualquier cosa siempre que eso libere de la sensación de que todo es arbitrario. La forma del compromiso actual es la comedia de lo necesario.

*A. F.:* Durante mucho tiempo consideré al burgués —o, peor aún, al pequeñoburgués— como el arquetipo de la marioneta. El burgués, me habían enseñado, es el hombre que identifica el Bien con el Ser y que vive en un mundo donde todo funciona, donde todo está en orden, donde todo ha existido siempre. Sabía, a través de Marx, de Sartre, del Barthes de *Mitologías*, que la vocación de ese personaje satisfecho era la reducción de lo nuevo a lo viejo y su marca de fábrica, la conversión de la Historia en naturaleza. Y esta repugnancia por los automatismos de la *doxa* sólo era libresca. Cuando, de adolescente, veía a grandes personajes ocupar todo el espacio de la conversación mediante obviedades maquinales o anécdotas insignificantes, me prometía en silencio envejecer de otra manera. En mayo del 68, yo tenía diecinueve años y era un alumno consciente. Preparaba en la campiña un examen particularmente difícil cuando me llegó la notificación de movilización para el gran levantamiento. Sumamente feliz de matar por fin a la marioneta, abandoné mis libros y mis fichas, subí precipitadamente a París y respondí con entusiasmo al llamado. Me puse, pues, a recorrer las calles del Quartier Latin y a expresar mi desagrado por los clisés, balbuceando con docilidad eslóganes vengativos. Huí, como todo el mundo, del machacar del recitado y de los lugares comunes de la publicidad en los sintagmas fijos de los discursos de propaganda. En el mismo momento en que me maravillaba por salir de los caminos trillados del orden establecido, saciaba mi deseo de entrar en la ronda. Respondía a la uniformidad rutinaria con el unanimismo fusional. Joven y fogoso, creía ser el «estar haciéndose» que protestaba contra el «todo hecho» mientras lo que tomaba posesión de mi alma era el «todo hecho» de los estereotipos contestatarios. En suma, era una *marioneta del radicalismo*. La toma de conciencia de ese conformismo lírico representó la fecha de ingreso a la edad adulta.

*P. S.:* Debió pasar no poco tiempo para comprender que el radicalismo —sobre todo él— es un mimetismo al que la buena conciencia de la novedad o, mejor, de la originalidad imaginaria vuelve irresistible. Admitamos, a pesar de todo, que una marioneta del radicalismo tiene ya el potencial de una metamarioneta.

*A. F.:* En efecto, necesité tiempo, pues para mí la marioneta era por definición de derecha. Había adquirido esa certeza al leer con delectación *Mitologías*. Las ideas consagradas *matan dos pájaros de un tiro*: petrifican a la vez la cosa enunciada y al que la enuncia. Ahora bien, en el capítulo final del libro, Barthes demostraba que una clase social tiene interés en escamotear la calidad histórica —es decir, modificable y perecedera— de lo real: la burguesía.

Todo resultaba claro entonces: contra una derecha consagrada a la naturalización del mundo, la izquierda, partido de la esperanza, restablecía la Historia en sus derechos. Me entusiasmé, pues, con la idea de que le correspondía a la Historia corregir a la Historia y de que pronto llegaría la hora de la reparación de todas las equivocaciones. Pero una vez, con ayuda de la disidencia, terminé por darme cuenta de que esta idea era en sí misma un soñar despierto, un mito coalescente, un fantasma negro y rosa, una mala novela de intriga simplista, y de que yo era, junto a muchos otros, su marioneta y su farsante.

*P. S.:* Un breve comentario desde un punto de vista inspirado por Gabriel Tarde. Lo que usted había descubierto en aquella época era la izquierda mimética, lo que parece ser una contradicción en sí. Cuando Sartre decía que el socialismo es un humanismo, hubiera sido necesario responderle: el socialismo es un sonambulismo. La repetición sonámbula, según Tarde, es la realidad del hombre socializado. La elaboración magistral de esta hipótesis se halla en la trilogía de uno de los mayores poetas del siglo XX: *Los sonámbulos*, de Hermann Broch.

*A. F.:* En efecto, el radicalismo es mimético y gregario. Reúne, según la expresión de Philippe Muray, a los «revoltosos de Panurge», aquellos falsos rebeldes que, en realidad, están de acuerdo con el espíritu imperante. Pero, ¿cómo tomarlos? ¿De dónde proviene su encanto tan difícilmente resistible? Me parece que del poder de avergonzar. Al hablar en nombre de todos los dominados, de todos los desposeídos, ofrecen esta opción al interlocutor: o bien se adhiere al campo del poder, de la tontería, de la comercialización del mundo, o bien se confiesa la pertenencia a él. El masoquismo moralizador constituye una variante particularmente temible de este poder de intimidación. Aquel que proclama en voz alta que se avergüenza de ser lo que es, recibe aplausos por su lucidez y avergüenza a todos los demás por su buena conciencia, por su letargo feliz.

En el principio del radicalismo está la idea de que, puesto que el hombre es el autor de la Historia, los hombres de mala voluntad, y no Dios o Satán, son imputables por los traspiés o los fiascos de esta Historia. En otras palabras, el radicalismo acompaña al humanismo moderno como su tentación o su patología. El hombre erigido en sujeto, es decir, en dueño del devenir, se explica las desdichas de la humanidad al «tribunalizar» la realidad humana. En el mundo estructurado como una sala de audiencias, el radicalismo ocupa el lugar más envidiable: el del fiscal. Eso era lo que me hechizaba cuando era joven. Todo lleva a pensar que no hemos terminado con esta atracción fatal.

*P. S.:* Otra breve acotación. Wittgenstein es el otro prototipo del filósofo del siglo XX. Se avergüenza de ser filósofo, hacedor de discursos. Se avergüenza de encadenar frases, se avergüenza de la sintaxis, se avergüenza de esta violenta pasión lógica que hace que la frase X sea la deducción consecutiva de la frase Y.

*A. F.:* La vergüenza del verbo es, desde los populistas rusos, la desconcertante herencia de los profesionales del verbo. Sin embargo, no creo que la alternativa a este flagelo sea la buena conciencia de la inocencia recuperada: nunca hemos sido inocentes y no estamos destinados a serlo. Leer a Lévinas después de Sartre, tal como me fue dado hacerlo, es salir del doble encierro de la vergüenza en el círculo de la política y de la política en el círculo de la expiación mediante la manifestación de otra mala conciencia, más fundamental, pero también más epidérmica, incluso a flor de piel: la vergüenza de ser. Existe una vergüenza de ser porque ser es expandirse o desplegarse sin miramientos por los demás. Lo humano en el hombre

213

nace de la imposibilidad de invadir la realidad de manera salvaje, espontánea, como una fuerza que avanza y a la que nada puede detener. Ahora bien: en la actualidad, la deferencia se ha convertido en atizadero, la inhibición se cuida, el odio al burgués en sí y en los demás ha llevado a ver en la discreción, en la contención, en el pudor, una traba para la voluntad de vivir de manera auténtica y un atentado contra los derechos del hombre. Ya sea mundialista o altermundialista, satisfecha o acusadora, liberal o libertaria, la humanidad posburguesa se ha liberado de los viejos escrúpulos: ya no se ruboriza.

*P. S.:* La ecuación entre la existencia de la marioneta y la figura del burgués merece ser desarrollada. Desde hace mucho tiempo, en la tradición del radicalismo estético francés, es precisamente la seguridad con la cual los caracteres más integrados, más de moda, más representativos, o sea, los más burgueses, han asumido la posición del *Bürgerfresser*, del burlador de burgueses. El burgués que se burla del burgués es un componente de la civilización francesa que siempre me ha impresionado mucho, incluso en épocas en las que era incapaz de comprender de dónde provenía esa fascinación. El radicalismo francés es la más perfecta encarnación de la diferencia, comentada por Marx, entre el ciudadano y el burgués. El burgués, con Bonaparte, cree que la revolución ha terminado, mientras que el ciudadano vive siempre esperando la verdadera revolución. El sujeto francés puede absorber toda la dimensión subversiva del

mundo sin ser una simple marioneta radical. Es la
fuente del radicalismo convertido en hombre. El
eterno radicalismo tiene el aspecto de un buen
francés. Es la revolución permanente en primera
persona. La Revolución soy yo: esta expresión la
escuché como subtexto omnipresente en la casi totalidad de mis lecturas desde la década del sesenta, momento en que mi francés me permitió ingresar en el universo de la *intelligentsia* francesa,
tanto «*rive gauche*» como «*rive droite*».

# XVIII. Para una crítica de la razón extremista

*P. S.:* En el transcurso de nuestras conversaciones espero desplegar los elementos que sirvan como piezas probatorias en el gran proceso venidero contra el radicalismo del siglo XX. Se trata de un trabajo inacabado: estamos muy lejos de haber desarrollado el proceso integral del siglo XX. Una parte de la rendición de cuentas se llevó a cabo en la forma de una gran inquisición —muy justa y muy dura, por otra parte— contra los errores de la derecha. El veredicto fue pronunciado de una manera que no puede desconocerse. En cuanto a la izquierda, la famosa vergüenza de la que hemos hablado impidió un proceso análogo. La mentalidad de la izquierda contemporánea parecería caracterizada por una inclinación para la que propongo la expresión «autoamnistía». La izquierda contemporánea es la parte de la sociedad que tiene el privilegio de perdonarse sus propios errores.

Si el profundo vínculo entre don y perdón era la gran temática surgida en el campo de la moral del fin de siglo, la izquierda supo aprovechar este descubrimiento para reclamar en su favor un don de inocencia. Todo debe serle perdonado, según ella, a quienes tienen la buena voluntad de cambiar el mundo. Todo les está permitido a quienes son la conciencia. La izquierda votó en ausencia para impedir un proceso contra todo lo que se cometió en nombre de sus propios valores en el transcurso del siglo XX, lo cual no es desdeñable. Todo ocurre como si los «crímenes de izquierda» fueran actos sin autores.

A. F.: En efecto, resulta tanto más tranquilizador ser una conciencia que tener una conciencia. Y a esa tranquilidad, la izquierda, partido del movimiento, es extremadamente afecta. De ahí su rechazo a emprender no sólo el proceso de sus divagaciones, sino el proceso del espíritu de proceso. Sin embargo, necesitamos una tempestad moral que «destribunalice» la Historia, no por cierto para celebrar con Nietzsche «la inocencia del devenir», sino para devolver el mundo a su indeterminación y nuestros juicios a su incertidumbre constitutiva.

Pero resulta difícil hacerlo humildemente y con perplejidad cuando se adopta el partido de la humanidad expoliada. La defensa de los oprimidos no se lleva bien con los escrúpulos de la finitud. Cuando se sufre por los esclavos, y luego de que mayo del 68 denunciara a la enseñanza, ante los alumnos, como una forma de la dominación, es inevitable colmar de injurias a los maestros y a sus «perros guardianes». Recuerdo la foto de Sartre sentado al pie del sillón donde se pavoneaba Daniel Cohn-Bendit y una entrevista en *Le Nouvel Observateur* donde el propio Sartre le reprochaba violentamente a Raymond Aron que repitiera el mismo curso durante lustros sin nunca cuestionarse ante su joven auditorio. La crueldad demostrada por los tribunales de Salud Pública no es disuasiva, puesto que todas las veces la impaciencia por la bondad es quien los edifica.

Aquella felicidad de ser una conciencia me recuerda un personaje de *Vie et destin*, de Vassili Grossman: bolchevique de la vieja guardia leninista, durante un tiempo fue asaltado por la duda, pero la conversación con un *apparatchik* puro y duro acababa de reencauzarlo: «Mijail Sidorovitch sintió que lo que venía torturándolo durante esos últimos días, la horrible complejidad de las cosas, estaba disipándose. De nuevo, como en su juventud, el mundo se le presentaba simple y límpido: los suyos por un lado, los enemigos por el otro».[1]

En un capítulo extraordinario de *Tout passe*, el propio Grossman hace el retrato de cuatro «Judas», cuatro soplones, cuatro delatores que han enviado conciudadanos a los campos de Siberia: personajes muy poco recomendables sin duda, pero cada uno de esos relatos defrauda en el lector el deseo de simplificación y la aspiración a la serenidad de una sentencia sin apelación. Lo que Grossman quiere evitar a cualquier precio es perpetuar en la condena del estalinismo el odio estalinista a la complejidad de las cosas. Como él, Solzhenitsin, Kundera, Primo Levi, Hannah Arendt y todos los pensadores *afectados* por el siglo XX tuvieron esa obsesión hasta en su manera de representar y de meditar el terror absoluto: devolverle a la sabiduría práctica, es decir, a la facultad

[1] Vassili Grossman, *Vie et destin*, Julliard-L'Âge d'homme, 1983, pág. 301.

de juzgar casos particulares, su imperio perdido sobre la comprensión de la Historia. Fue en vano. Como si nada hubiera ocurrido, «las guerras civiles, las revoluciones, las contrarrevoluciones, las luchas nacionales, las rebeliones y su represión» continuaron estando «bajo la autoridad de jueces ávidos de castigos».[2] Orwell tenía razón, pues, al decir: la izquierda es antifascista, pero no es antitotalitaria. . .

*P. S.:* La izquierda no sólo no es antitotalitaria; también es antisimétrica. Quiere que sea anulada la reversibilidad de los posicionamientos, lado izquierdo, lado derecho, de los que hablan los metafísicos y los teóricos del espacio. Ese antisimetrismo se retrotrae, por supuesto, a una tradición metafísica que nunca admitió la simetría entre el bien y el mal.

Hay que llevar a cabo dos procesos: un proceso general, cuyo tema sería una crítica de la razón extremista, y un proceso particular, que tenga que ver con el balance de la violencia de izquierda.

Queda el fenómeno del insulto. Para el caso, aprovecho una vez más mi condición de extranjero: tengo una incompetencia privilegiada para las batallas francesas. Un visitante ve con facilidad que el campo intelectual francés se halla devastado por innumerables divisiones absurdas, un verdadero laberinto moral donde el extranjero se pierde irremediablemente. Me conformo con aplicar la mirada de un visitante que siente curiosi-

---

[2] Milan Kundera, «Le théâtre de la mémoire», cit., pág. 28.

dad por el arte francés del insulto, del que usted ya ha hecho una genealogía, al trazar una línea que se remonta hasta el fenómeno Robespierre. Después de Rousseau, Robespierre es el inventor de esta maniobra consistente en reemplazar la conciencia que se tiene por la conciencia que se es. Al transformarse de abogado común en abogado de la humanidad, acuñó el modelo de la toma del poder por una conciencia en la cumbre de la pirámide moral sobre todas las conciencias. Cuando se los ve desde arriba, todos los demás son despreciables y falibles.

En cuanto viajero distendido en el paisaje intelectual francés, compruebo que aquí se llevan a cabo luchas encarnizadas para defender la buena conciencia. En Francia existe una especie de papado moral o, más bien, una función de imán del pensamiento. El defecto de Sartre fue el de ser un imán revelado. Habría sido mucho más auténtico si se reservaba la función de imán oculto, según la ortodoxia chiita, y si se hubiera conformado con publicar mensajes anónimos dando a entender que se tiene razón al no aprobar el estado del mundo. Esta función moral se vuelve sospechosa cuando es ejercida bajo el nombre de un autor. El genio no puede ser un moralista. El genio apunta a la originalidad; el moralista, a la mediocridad. Le debemos a Bertolt Brecht la expresión clásica de ese estado de cosas: «En mí, usted tiene a alguien con el que no puede contar». Los hombres talentosos nunca son moralmente confiables. Como Sartre era lo suficientemente lúcido para comprender esa paradoja, se arrodilló a los pies de Cohn-Bendit, «se prosternó ante el movimiento». Mediante ese gesto, reclamaba su anonimato perdido. Sólo la conciencia anónima está en condiciones de juzgar todo y a todo el mundo, sin consideración de la persona que se trate. Es el foco de toda violencia. El insulto o, más bien, la capacidad de insultar es lo único que sobrevivirá de la izquierda clásica. El insulto es el producto de una extraña mezcla: de un espíritu de combate y de la búsqueda de la superioridad moral. Sin ese sentimiento de superioridad parece difícil tomar la palabra.

*A. F.*: En 1937, Paul-Louis Landsberg, un filósofo judío alemán convertido al cristianismo y que había huido de Alemania, publicó en la revista *Esprit* un magnífico artículo sobre el compromiso político: «No hay actividad semejante sin una cierta *decisión por una causa imperfecta*, pues no tenemos que elegir entre principios e ideologías abstractas, sino entre fuerzas y movimientos reales que, en el pasado y en el presente, llevan a la región de las posibilidades del porvenir (. . .). Mediante esa conciencia de la imperfección, la fidelidad a una causa estará preservada de cualquier fanatismo, es decir, de cualquier convicción de vivir en posesión de una verdad absoluta e integral».[3]

Deportado al campo de Oranienburg en 1943, al sobrevenir la Liberación, Landsberg ya no estaba para defender esta teoría del compromiso contra la definición sartreana, la misma que iba a

[3] Paul-Louis Landsberg, «Réflexions sur l'engagement personnel», en *XX<sup>e</sup> Siècle*, Presses de la Fondation des Sciences Politiques, octubre-diciembre de 1998, pág. 120.

triunfar hasta en la lengua común. Pero, ¿habría podido? ¿La causa antinazi no era una causa perfecta, una causa indiscutible, una causa absoluta? ¿Los SS no eran monstruos, y los colaboradores, canallas? ¿Acaso era posible no oponerse *fanáticamente* a Hitler? Todo era límpido entonces: la complejidad del mundo estaba suspendida, su ambivalencia se había disipado, se habían abolido sus incertidumbres. La nostalgia de esta claridad resplandeciente se investió en el compromiso. No había oídos para Landsberg y su conciencia de la imperfección: junto a Sartre, se quería prolongar, bajo la forma de una política de la humanidad, el espíritu de la Resistencia. Y eso continúa.

Me parece que es el malestar que experimentamos, tanto uno como otro, lo que explica la presencia de Carl Schmitt en nuestro diálogo. Sus motivos serán dudosos e incluso indefendibles —«Busco para mí y para mi pueblo la absolución del crimen»—, pero es a él a quien le corresponde haber señalado la *hybris* potencial de una política de la humanidad. La humanidad no tiene, por definición, enemigo humano; el compromiso así concebido induce necesariamente la deshumanización del adversario. No se trata, por consiguiente, de reclamar, con Carl Schmitt, que la política sea pura y que esté simplemente disociada de la idea de la humanidad universal. Esta idea, como lo demuestra Robert Legros luego de Tocqueville, es constitutiva de las democracias modernas. En efecto, por primera vez la igualdad de los ciudadanos es fruto de la igualdad de todos los hombres entre sí. En Atenas ya no se es ciudadano en cuanto ateniense: se

223

es ciudadano en cuanto hombre. El hombre es la fuente de la ley: los poderes «emanan de la humanidad, se ejercen en nombre de la humanidad, se cumplen bajo la vigilancia de la humanidad».[4] Ni el bien ni el interés de un pueblo o de una nación bastan para justificar la acción política. Esta debe orientarse también en beneficio de la humanidad.

Pero lo que separa a Sartre de Landsberg es la diferencia que hay entre una política *de* la humanidad y una política *por* la humanidad. Necesitamos dar un rodeo a través de Carl Schmitt para volver de la inflexible representación de los desdichados, los únicos que merecen el nombre de hombres, a la decisión en favor de una causa imperfecta.

*P. S.:* Como buen católico, Carl Schmitt extrajo las consecuencias de la disipación de los pueblos después de la debacle de Babilonia. Meditó sobre la pluralidad irreductible de la situación posbabilónica de la humanidad. Para él, toda mitología que pretenda una nueva agrupación para la construcción de una torre común lleva el aura blasfema que un lector advertido del Antiguo Testamento reconocerá fácilmente.

Mi último comentario se refiere, una vez más, a la herencia del radicalismo de izquierda. Todos hemos estado convencidos de que el radicalismo de izquierda era el sistema nervioso central de cualquier moralidad superior. La competencia moral suprema se encuentra allí donde la indignación halla la buena conciencia y la voluntad de actuar.

[4] Robert Legros, *La question de la souveraineté*, Ellipses, 2001, pág. 35.

Esta alianza es la que hace explotar la dinamita subjetiva. Cuando la indignación se combina con la voluntad de actuar, y la convicción de una superioridad moral, con el libre acceso a un depósito de armas, entonces ocurre la catástrofe. Ahora bien: se demuestra que los perdidosos incendiarios no siempre tienen razón. Es preciso no olvidar que el radicalismo de izquierda es una mitología del perdedor. Más se pierde, más se tiene razón. Sin esta autojustificación de la buena conciencia de izquierda, ese radicalismo no funcionaría. Mi íntima convicción me dice: a fuerza de perder, soy moralmente superior al que gana.

Esto nos reconduce, por supuesto, al análisis nietzscheano del resentimiento, no sólo en términos psicológicos sino también en términos políticos. Según Nietzsche, el verdadero poder mundial es el resentimiento. Para volver una vez más a nuestro *cantus firmus*, que es el motivo de la edad adulta, es necesario asumir la capacidad de ganar. El eterno adolescente es el ángel de la Historia, tal como lo concibió Walter Benjamin, alimentándose de la suma de defectos padecidos por todos los perdedores del pasado.

Estoy convencido de que necesitamos un gran relato que no se vea desalentado por los rumores del fin de las grandes «narraciones comprensivas». Los grandes relatos que hemos conocido hasta ahora tuvieron que ceder ante la crítica filosófica, lingüística y psicoanalítica del resentimiento. Mas el defecto del gran relato no consistió en haber elaborado un informe de la evolución de la humanidad. Lo que hay que reprocharle al gran relato es que no haya sido lo suficientemente grande. Siempre es necesario volver a contarse la Historia. Pero esta vez no será un relato impregnado de los prejuicios de la filosofía de la Historia, esa emanación del idealismo alemán, iluminada por la idea según la cual lo absoluto se temporaliza. Ahora es necesario descubrir otra temporalidad, y es necesario vivir la temporalidad de otra manera. En uno de sus libros encontré una muy bella fórmula, en la cual usted habla de la necesidad de «vivir de otra manera la desigualdad».[5]

No puedo terminar mi reflexión sin indicar vagamente la dirección en la que quiero ir. Es necesario volver a pensar la relación entre los perdedores y los ganadores de la Historia. Esta relación es el verdadero compromiso histórico y, en consecuencia, la verdadera noción de imperio. Si alguna vez hubo un imperio, se debió al hecho de que un imperio es precisamente la estructura política que posee medios suficientes para absorber a los perdedores. Un imperio es, por definición, una estructura política que supo integrar a numerosos perdedores transformándolos en ciudadanos que tenían, en mayor o menor medida, la sensación de haber intercambiado una pérdida por una victoria o una derrota por una pertenencia. Si se me permite expresar un deseo político y moral a nuestros amigos norteamericanos, sería el siguiente: que recuperen la sabiduría que tuvieron durante algunas décadas después de la Segunda Guerra Mun-

[5] Alain Finkielkraut, *L'humanité perdue: essai sur le XX$^e$ siècle*, Seuil, 1996, pág. 31 [*La humanidad perdida: ensayo sobre el siglo XX*, Barcelona: Anagrama, 1998].

dial, esa sabiduría de la alquimia política que
transforma a perdedores en ganadores.

En ese contexto, los europeos, a su vez, tienen
buenas razones en estar preparados para la guerra. Su saber político sería fruto de la teoría coherente de esta alquimia. Según Virgilio, los europeos son descendientes de Eneas, el archiperde-
dor. Nuestro ancestro mítico es un hombre abatido
que abandona una ciudad en llamas, cargando en
la espalda a su propio padre. El arquetipo de los
europeos es un refugiado en busca de un nuevo
país, de una tierra prometida donde el perdedor de
los perdedores pueda recobrar aliento y reapren-
der al arte de ganar.

Se trata de la alquimia europea ya bien experimentada: la transformación de la depresión en
afirmación. Y es la razón por la cual, en la actualidad, los norteamericanos son los verdaderos europeos. Hasta ahora, durante toda su historia, han
ofrecido una tierra de asilo a los perdedores del
mundo, sobre todo a los del Mundo Antiguo. Al ser
bienvenido, cualquiera estaba dispuesto a sacrificar su pasado deprimente en aras de un porvenir
portador de una verdadera oportunidad. Como nosotros, los europeos, los norteamericanos son todos descendientes de Eneas.

El gran relato con el que sueño, una versión
ampliada de la *Eneida*, encontraría un punto de
partida en la historia de los imperios y haría una
deducción de la sabiduría del imperio en términos
de alquimia política: el perdedor se convertiría en
participante de un juego político en el que gana.
Esto nos trae de nuevo a la cuestión del enemigo,

del adversario, de quienes necesariamente nos enfrentan en momentos en que nuestro juego debe encarar la medida de lo real. A su vez, el Otro real no quiere ser perdedor, sobre todo no quiere correr con los gastos de nuestra cura de la enfermedad de los perdedores.

A. F.: Como judío nacido después de la guerra, recibí a modo de herencia la gloria de la desdicha. Ya sea como aureola o como armadura, el nombre de Auschwitz hacía de mí un personaje trágico y me protegía contra toda irrupción de la tragedia. Pero la obra ha terminado: he sido desalojado de mi posición de niño mimado, de supremo perdedor. Israel se ha interpuesto y las sucesivas victorias de las *Tsahal*, las fuerzas armadas israelíes, han desdibujado la pura imagen del desamparo. Terminé por encontrarme del lado inadecuado en la línea del frente, y obligado, por eso mismo, a pensar de otra manera si no quería pagar el precio de la participación en el linchamiento de judíos para la conservación de mi aureola judía. De pronto, me resultó imposible continuar siendo adolescente.  Mi judaísmo me despertó del gran sueño del antinazismo.

# Colección *Nómadas*

## Obra en preparación

# Colección *Mutaciones*

## Obras en preparación